[글벗평론 1] 최봉희 첫 번째 평론집

# 그리움을 찾아서

최 봉 희 지음

도서출판 글벗

## ■ 서문

# 그리움 찾기

"우리 인생엔 단 하나의 행복만 있다. 그것은 사랑하고 사랑받는 것이다(There is only one happiness in life, to love and be loved)."

프랑스의 작가 조르주 상드(George Sand)의 말이다.

나의 그리움은 행복의 기다림이다. 그 기다림은 오랜 세월 속에서 꽃으로 다시 피고 있다. 바로 사랑꽃이다.

나는 오늘도 시를 읽고 서평을 쓰면서 행복의 기다림으로 그리움을 읽고 있다.

글벗문학회 회원으로 함께 시집을 출간한 20명의 작가님께 감사의 마음을 전한다.

이 글을 읽는 이마다 행복한 기다림이 가득하길 소망한다. 아울러 꽃등 켜는 날을 함께 맞이했으면 좋겠다.

메마른 땅을 일궈
제 삶을 갈아놓고
한마음 오롯한 꿈
씨앗을 뿌려놓고
발그레 꽃등 켜는 날
기다리며 산다오
— 최봉희 시조 「사랑꽃」 전문

# ‖ 차 례 ‖

제1부

# 사람을 살리는 행복한 글쓰기

# l. 사랑의 메타포로 빚은 행복의 아포리즘
## — 강자앤 시집 『러브레터』를 읽고

　프랑스의 위대한 문호 빅톨 위고(Hugo, Victor Marie)는 "인생 최고의 기쁨은 자신이 사랑받고 있다는 확신에서 온다."고 했다. 좀 더 정확히 말하면 자신의 부족한 모습에도 불구하고 사랑을 받고 있다는 확신이 들면 최고의 기쁨을 느낀다는 것이다. 그 때문에 사랑은 반드시 누려야 할 인생 최고의 기쁨인 것이다.

　문학은 대상에 대한 사랑을 기본 속성으로 한다. 그렇기에 시인은 사랑을 기본 속성으로 하여 글을 쓸 수밖에 없다.

　작가들의 입에 오르는 주제인 '사랑', 그 사랑에 대한 표현에는 시인의 남다른 창의력, 내용과 형식을 글로 표현할 수 있는 예술적 감성이 필요하다. 이것이 시인이 지닌 예술적 역량이 아닐까 한다. 물론 수사학적 능력도 필요하지만, 감성적인 면도 매우 중요하다. 풍부한 감수성을 기반으로 하는 감동이 있어야 진정한 문학이 아니겠는가.

　강자앤 시인은 글벗문학회 회원이다. SNS에서 많은 독자층을 확보하고 끊임없이 창작활동을 펼치는 작가다. 시인은 「대한문학세계」로 등단한 이후 두 권의 시집을 출간했다. 그의 시에 가장 많이 등장하는 시어는 '사랑'이다. 무료 117번이나 등장한다.

　프랑스의 시인 폴 발레리(Paul Valery)는 "시의 상황의 특징은 감동에 대한 발명이다"라고 말한다. 시는 감동의 경험에서 꽃을 피우기 때문이다. 그런 면에서 강자앤 시인은 항상 시를 마치 '러브레터'처럼 쓴다. 그것도 매일 매일 쓰고 있다.

　그의 대표적인 시 「러브레터」를 살펴보자.


너는
그날을 기억하니
설렘으로 주고받던 러브레터를
소녀의 감성을 일깨워준
순수한 사랑

그날의 아름다운 사랑의 고백
중년의 나이에도
둘만의 소중했던 그날이
꽃과 나비처럼 너를 찾는다

그리운 그 시절
멀어져가는 뒷모습을 바라보면서
영원히 보내지 못할 편지를
날마다 쓴다

오 오
소녀의 가슴 안에
간직한 사랑의 러브레터여!
- 시 「러브레터」 전문

시 「러브레터」에서 보는 바와 같이 시는 단순한 애정이 결코 아니다. 시는 체험이다. 한 편의 시를 쓰는데 여러 사람을 만나고 많은 사물을 보아야 하고 꽃과 나비의 날아감과 아침을 향해 피어날 때의 작은 꽃의 몸가짐도 인지하게 된다. 세상을 살아가면서 뜻하지 않은 만남, 오래전부터 간직했던 사랑과 이별, 이러한 것들과 어린 시절, 소녀적 감수성을 지닌 그 시절로 돌아갈 수 있어야 한다. 물론 그 사랑의 편지는 부치지 못한 편지일지라도.

시에서 다양한 수사법(은유, 상징, 반어, 역설, 알레고리 등)은 평면적인 글을 입체적이고 함축적인 글로 만들려는 노력이다. 그러므로 시인은 어떤 대상을 바라볼 때 그 대상을 있는 그대로 바라보지 않는다. 인간이나 사회의 어떤 현상과 연결하여 바라보게 된다. 시인은 대상을 새롭게 인식하고 재해석하려는 노력을 기울이게 된다.

시인은 관점과 표현이 새로워야 한다. 다르게 보기와 낯설게 하기, 현실의 구체성과 진정성에 토대를 두고 상상의 나래를 펼치게 된다. 한 마디로 전체적인 통일성과 내용과 형식의 조화에 유념하면서 글을 쓰는 것이다.

괴테는 "모든 것을 젊었을 때 구해야 한다. 젊음은 그 자체가 하나의 빛깔이다."라고 말했다. 젊음은 빛깔이 야위고 사라지기 전에 열심히 추구해야 한다. 젊은 시절에 열정적으로 찾고 구해야만 나이가 들어서 풍성한 인생을 산다는 의미다. 자기의 생각이나 꿈속에 그리는 추상적 생각을 실현하기 위한 구체적 노력이 필요하다. 바로 '생각의 시각화(visualization)'다.

예를 들면 영화 『사랑과 영혼』을 살펴보자. 주인공인 데미 무어(Demi Moore)가 도자기를 빚는 과정에서 패트릭 스웨이지(Patrick Swayze)가 등 뒤에서 그녀의 손 위에 자신의 손을 얹는다. 이처럼 함께 물레를 돌리는 모습이 사랑을 대신하는 메타포(Metaphor)다. 누군가를 사랑해서 누군가를 떠올리면 함께 들었던 음악이나 영상, 그리고 추억 등이 사랑의 메타포로 등장한다. 다시 말해, 행동, 개념, 물체 등이 지닌 특성을 그것과는 다르거나 상관없는 말로 대체하여, 간접적이며 암시적으로 나타내는 것이다.

차 한 잔의
은은한 향기에
새삼스레
젖어오는 그리움
햇빛만 바라보며
살아온 해바라기 같은 사람

작은 것도 아끼며
덜 가지려 애쓰는 사람
잃은 것
얻은 것에
무관심하며
주고만 싶어 하는 사람…

이런 일 저런 일
밤하늘에 반짝이는
잊을 수 없는
그리운 사랑이여!
행복을 주는
나의 그리운 사람이여라
- 시 「그리운 사람」 전문

문학은 삶의 경험과 일상의 주변에서 일어난 다양한 이야
기에서 존재의 의미를 깨닫는다. 그리고 새로운 꿈을 지향한
다. 그래서 시인은 생명의 구체적인 모습을 다양한 그리움으
로 그려내고 있는지도 모른다. 어떠한 사물이 감각을 통해 우
리의 느낌에 비쳤을 때 마음에 일어나는 그림자가 있다. 그
심상에 어떤 의미를 부여했을 때 자연의 회화는 상상의 이미
지로 바뀐다. 그때 사물은 현실의 사물과는 다른 의미를 갖게
된다. 이것이 시 창작의 기본이자 시작인 셈이다.

인내가 필요로 하면
기다림이 있어야만 됩니다

사랑은 참 아름답습니다
보세요
아름다운 장미를 갖고 싶다고
욕심을 내다보면
가시에 찔림이 분명히 나타납니다

사랑도 허겁지겁 진도가 빠르면
어딘가에 불씨로 남겨집니다

그래서
사랑에도 자연스럽게 느끼는 대로
인내와 기다림이 필요로 하다는 것이죠

성스럽고 고귀한 사랑
필요로 하면 기다리세요

행복은 기다림의 미학입니다
- 시 「사랑이 시작되면」 전문

　시인은 시를 통해서 다양한 아포리즘(Aphorism)을 쏟아내고 있다. 그것은 삶의 깨달음에서 얻은 사랑의 격언이 아닐 수 없다. 성스럽고 고귀한 사랑이 필요하다면 '기다리는 것', 그래서 '행복은 기다림의 미학'이라고 말한다.
　어쩌면 시인은 사랑을 긍정의 힘으로 믿고 있는 듯하다. 긍정의 힘을 믿으면, '고질병'도 '고칠 병'이 되고 '빌어먹을 놈'도 '벌어먹을 놈'이 될 수 있다. '어쩔 수 없는 일'이라 생각하면 포기하게 된다. 하지만, '어쩔 수 있는 일'이라고 생각하면 다시금 도전할 수 있는 것이다. 손에 망치를 들면 모든 게 못으로 보인다고 한다. 손에 꽃을 들면 어떨까? 모든 게 나비로 보일지도 모른다. 아름다운 눈보다 아름답게 보는 눈이 더 아름답다. 아름다운 입보다 아름답게 말하는 입이 더 아름다운 법이다.

　비바람 속에서도
　늘 그 자리에

의연한 참모습.

끝끝내
말이 없는 산이여!

애면글면 종종거리는
인생살이!

"사랑 하나면 모두인 것을"

말 아니하고
가슴으로
느끼며 살리라
- 시 「청산은 나 홀로」 전문

　시인은 삶의 본질은 '사랑'이라고 말한다. 힘겹고 외로운 삶 속에서도 애면글면 사는 인생살이에서 사랑 하나면 모든 것이 해결된다고 믿는다. 어쩌면 그의 삶의 대부분은 사랑을 만나고 사랑으로 치유하고 있다.
　그러면 강자앤 시인이 지닌 시적 특징은 무엇일까?
　첫째 시는 깨달아 아는 것을 중시하는 특성이다. 인간이 인문적 사유 없이 깨닫는 것은 불가능하다. 사람들은 종교 안에서 깨달음을 찾으려 하지만 사유하는 나를 찾지 않고는 각성은 일어나지 않는 법이다. 그래서 시인은 끊임없이 사유하고 고뇌하면서 사랑의 본질을 찾고자 노력한다.

　부모님의 사랑은
　하늘같다 말합니다

모든 부모님이 다 그러하듯이
무한한 자식 사랑 서로 견주리오

사랑하는 내 아빠 엄마
나의 마음을 모를 리가

바다보다 넓은 부모 마음
자랑스럽고 온화한 부모님 사랑

이 제사 깨달음은
한평생 갚아도 남을 은혜

열 손가락 깨물어
그 아픔은 다 같은데

외동인 이 딸만 그리 사랑 주심
용서하여 주옵소서!
– 시 「부모님의 사랑」 일부

둘째는 사랑이다. 사랑을 갈구하고 사랑 안에서 살고 싶지
만 정작 사랑이 무엇인지 모르는 우리에게 메시지를 던진다.
제발 '사랑'이 무엇인지 발견하라는 경구(警句)를 남기는 것
은 아닐까?

말이 세상에 없었더라면
그만큼 거짓말이 적었을 거다

나의 사랑은 거짓이 없다

그것을 나는 이제야 알았고
사랑은 의식이 아닌 무의식이다

언제나 무언으로
그대 고운 숨결 들으면서
영원토록 살고자 한다

사랑하는 맘이란
사랑하는 사람이 이 세상에
있을 때라야 생겨난다

사랑은 언제나 영(0)
받을 것도 줄 것도 없는 것이다

사랑이란 말을
하지 않은 것이 참사랑이다
- 시 「참사랑」 전문

강자앤 시인은 '사랑이란 말을 하지 않는 것이 참사랑이다'
라고 말한다. 사랑에 대한 의미발견이다. 사람들은 수많은 고
전을 탐독하고 그 지혜 속으로 들어가려고 노력하고 있다. 그
러나 그 노력은 허사였음을 깨닫는다. 사랑이 무엇인지 아는
순간 그들이 남긴 삶의 무수한 지혜들이 내 안으로 들어오는
걸 경험했기 때문이다. 사랑의 문제는 스스로 인식하는 데서
출발하는 것이다.

내 사랑은
보이지 않는다 해도

항상 거기에 있다

내 사랑은
사라지는 게 아니라
다시 오고 있는 중이다
내게로 내 눈 속으로

사랑은 그리움이고
기다림의 이유이며
사랑은
키움, 가꿈, 거둠입니다
– 시 「사랑(2)」 전문

사랑은 보이지 않지만 언제나 우리에게 있다. 그래서 시인
은 '사랑은 사라지는 것이 아니라 다시 오고 있는 중'이라고
말한다. 그것도 내 눈 속으로. 그래서 사랑은 그리움이고 기
다림이다. 키우고 가꾸며 거둘 수 있는 존재로 규정한다.
　사람의 뇌로서는 인문적 사유 없이 저장된 데이터를 자유
롭게 끄집어내는 것은 불가능하다. 그래서 상상력을 통해서만
새롭게 생성되는 영감의 산물을 비유라는 장치를 통해서 구
현해 낼 수 있는 것이다.

사랑은 내가 좋아해서
찾아다니는 게 아닙니다

내가 먼저
더 좋은 사람이 되어야겠죠!

마음이 따뜻한 사람을 보면
꽁꽁 얼었던 내 몸이
풀리는 것 같은 느낌이 듭니다

아이스크림 녹듯이 마음에
부드러움을 느낍니다

사랑은 달달하면서도
솜사탕처럼 달콤한 맛이라고 할까요
– 시 「시월의 사랑」 일부

사실 메타포(Metaphor)는 단지 미적 표현을 위해 문장과 언어를 꾸미는 것만은 아니다. 대단히 많이 쓰이는 언어의 광범위한 현상이다. 직접 경험하거나 깨달을 수 있도록 일정한 형태와 성질을 지닌 구체적인 사물을 가리키는 언어다. 그 언어는 비유적, 혹은 추상적으로 사용된다.

독일의 철학자 호네트(Axel Honneth)는 타인으로부터 자신의 욕구와 감정에 대한 배려 사랑, 자신의 도덕적, 법적 존엄성에 대한 존경, 사회적 업적에 대한 존중 등을 인정받을 때 개인의 정체성이 형성되는 것으로 보았다.

시인은 자기가 살아온 이야기를 하면서 자기의 삶에 의미를 부여해야 한다. 욕구와 욕망은 내가 가지지 못한 어떤 상태에서 표출되는 것이다. 욕구와 욕망이라는 용어의 두 개념 모두 어떤 결핍상태를 나타내는 것이다. 이러한 결핍을 채우기 위한 활동이 바로 글쓰기가 아닐까?

인간은 혼자일 때만이

진정한 자유를 느낍니다

둘이라서 행복한 것도 아니고
불행한 것이 아닙니다

오직 혼자서 또 다른 사고
발견하고 느끼면
온전한 나를 발견하는 계기가 됩니다
 - 시 「사랑은 부메랑이다」 중에서


　누구에게나 삶은 숭고하다. 그러기에 어떤 식으로든 자기
이야기를 하면 즐거워진다. 글을 쓸 때 들뜨고 때로는 울기도
하고 웃기도 한다. 온갖 감정이 모두 드러난다. 이 순간은 바
로 나를 드러내는 과정이고 치유로 들어가는 과정이리라. 그
러면서 자신의 지난 삶을 위로하고 긍정으로 수용한다. 자기
이해에서 출발하는 것이다. 또한 자기 이해는 과거의 자기와
현재의 자신을 수용하면서 새로운 자신을 만들고자 하는 노
력으로 표출한다. 그래서 자신에 대한 애착과 더불어 자기를
위로하는 과정이 바로 시 쓰기, 글쓰기이다.
　이런 의미에서 강자앤 시인은 자신의 경험과 인생의 깨달
음을 털어놓는 것이 아닐까? 왜냐하면 사랑은 털어놓음으로
써 해결되기 때문이다. 속마음을 털어놓음으로써 상대와 가까
워지는 것과 같은 이치다.
　미국의 심리학자 제임스 베이커(James W.pennebaker)는 심
리적으로 상처가 있는 사람들에게 글을 쓰게 했다. 그랬더니
자신의 이야기를 털어놓은 사람의 경우, 병원에 가는 횟수가
줄어듦을 알게 되었다. 글쓰기로 인해 많은 사람들의 삶이 변

화되었음을 확인한 것이다.

그런 의미에서 강자앤 시인은 타인에게 해야 할, 또는 하고 픈 이야기를 사랑이라는 주제로 시를 쓰고 끊임없이 글을 쓰면서 삶을 치유하는 것이리라. 시 쓰기는 어떤 상황을 넘어 편안함을 느끼고 위로받을 수 있다면 그것이 행복한 것이다. 글을 쓰면서 사랑의 감정을 경험하면서 행복을 느끼고 때로는 눈물을 흘린다. 때로는 즐거움을 느끼고 때로는 추억에 젖는다. 지금은 만날 수 없는 과거의 소녀 감성과 연애의 추억을 만난다. 그리고 그때의 사람들, 고향과 부모를 그리워하게 된다. 그 과정이 소중하고 행복한 것이다.

강자앤 시인은 오늘도 러브레터(시)를 쓰고 있다. 과거에게 그리고 오늘에게, 또는 사랑하는 사람에게 그리고 자신에게 연애편지를 쓰고 있다.

앞마당에 봄
꽃이 피네
봄 되면서 가을 오기까지

스스로 아름답다고
생각할까
누구에게 주고파서 뽐내고 필까

노래하며 춤추는 것
울고 웃는 모습은
누구에게 배웠나

슬픔보다 깊은 정

함께하려 정원에 갔었네

노래하고 춤도 추고
행복한 웃음의 향연보다

위로받고 싶어서
꽃밭에 바람처럼 갔더니

예쁜 꽃들이 피어
서로 다투면 사랑주고 받네
- 시 「꽃밭에서」 전문


오늘도 독자들은 그의 러브레터(시)를 읽고 응원한다. 그의
편지는 가을 손님처럼 우리에게 예쁘게 오고 행복한 사색을
동반한다. 그래서 그의 시는 평화롭다. 그리고 감사가 넘친
다. 그 때문일까? 강자앤 시인은 지금 행복한 삶을 누리고 있
는 것은 아닐까?

싱그러운 날
바람결 따라 청명한
가을 손님 예쁘게 오시었네

우리에게 주신 기쁨과
행복이 함께하는
아름다운 사색의 가을날에
파란 하늘에 흘러가는 뭉게구름처럼

아름다운 꽃

익어가는 열매
참 평화로운 날이다

무엇으로 해답할까
하늘에 감사의 인사를
띄우렵니다
– 시 「가을 손님」 전문

사랑은 아름다운 꽃이 피고 멋진 열매를 맺을 때 기쁨과 행복을 부른다. 그뿐인가 평화도 있고 감사의 마음도 함께 따른다. 그래서 사랑은 행복을 빚는 연결고리가 된다.
강자앤 시인의 또 다른 시 「가을의 기쁨」을 살펴보자.

풀벌레 소리는
초저녁부터
가을밤을 온통 채웁니다

황금빛 둥근달이
어둠을 몰아내고
가을의 기쁨을 밝힙니다

코스모스는
마을 어귀에서부터
공원에 이르도록
우우우 무지개를 띄웁니다

망설임 없는 이 찬란함
서로를 세우고 받쳐주고
사랑으로 행복을 누립니다
– 시 「가을의 기쁨」 전문

사랑으로 행복을 누린다는 말에 크게 공감하게 된다. 가을 밤은 황금빛 둥근달처럼 어둠을 몰아내고 기쁨을 밝힌다. 코스모스는 무지개를 띄우는 것은 물론 그 사랑은 찬란하게도 서로를 세워주고 받쳐주는 존재다.

이상에서 살펴본 바와 같이 강자앤 시인의 시 세계는 사랑과 행복으로 연결된다. 그래서 필자는 그의 시 세계를 '사랑의 메타포로 빚은 행복의 아포리즘'이라고 규정하고 싶다. 왜냐하면 그의 시에는 평생을 살아오면서 느꼈던 사랑의 경험과 아픔, 그리고 이별의 순간까지도 다양한 비유와 상징으로 표현하면서 마침내 행복으로 승화시키고 있기 때문이다.

끝으로 강자앤 시인에게 작은 바람이 있다면 그의 사랑의 노래를 간결한 맛과 압축의 미가 담긴 우리 겨레의 시가인 '시조'에 관심을 가졌으면 한다. 보다 압축미와 간결미의 백미를 느껴보았으면 한다. 아무쪼록 그를 아는 많은 작가들은 그의 열정을 응원하고 지지한다. 항상 건강한 모습으로 '러브레터'를 통해 그의 문운에 행복이 가득하길 소망한다.

## 2. 자기 사랑을 통한 유쾌한 행복 찾기

― 윤수자의 첫 시집 『인연의 향기』을 읽고

우리는 언제 어른이 되는 것일까? 결혼한 성년이 된 날, 머리가 희끗희끗할 때일까? 아니다. 나를 있는 그대로 드러낼 수 있는 때가 아닐까? 마치 펜을 잡으면 곧바로 나의 삶을 문장으로 정리해서 쓸 수 있을 때가 아닐까?

지난날의 상처와 아픔, 성공과 실패, 오늘의 처해 있는 상황과 미래의 꿈까지 내 삶의 모두를 그대로 받아들일 때 우리는 비로소 어른이 된다. 다시 말해서 내 모습 있는 그대로를 사랑하는 마음일 때 바로 어른이 되는 것이다.

"나는 이렇게 살아왔고 이런 아픔이 있어. 나는 이런 습관이 있는데 이렇게 살고 싶어."

아직 인정하지 못하는 내 못난 모습은 무엇일까? 이렇게 자신을 드러내면 자신의 삶을 사랑하기에 성찰할 수 있는 여유를 갖는다.

미국의 배우 에델 배리모아(Ethel Barrymore)의 말처럼 '자신을 향해 마음 놓고 웃는 날, 너는 어른이 되는 것'이다. 자신을 진정으로 사랑할 때 어른이 된다는 말이다.

이번에 첫 시집 『인연의 향기』를 출간하는 윤수자 시인의 시를 읽는 기회가 있었다. 자신의 삶을 성찰하면서 날마다 기록한 이야기를 시로 펴냈다. 시인 자신을 사랑하는 한편의 로맨스를 따뜻하게 읽었다. 다른 사람과의 로맨스는 끝이 있다. 하지만 자신과의 사랑은 평생 지속되는 법이다. 부작용도 없다. 살아갈수록 삶의 성장을 만나는 즐거움이 있을 뿐이다.


나는 너의 기쁨이 되고
너는 나의 기쁨이 되고
우리 그렇게 살아왔지

탯줄로 한 몸 되어
열 달을 품고 안긴
너와 나

하늘이 내게 내려준
사랑의 씨앗
너와 나

태반의 우주를 깨고
세상 밖으로 나온
작은 새싹은

젖줄에 매달려
다시 너와 나
보듬고 아우르고

걸음마 시작할 때
너와 나는 손잡고
꼬까신 신고 걸었지

하늘의 축복으로
아가는 어린이로
어린이는 청년으로

그렇게 우리는 함께 했지
너와 나 우리 아가야

세상 밖으로 훨훨
이제 너의 사랑 찾아
커다란 날갯짓 하거라
- 시 「나와 너, 너와 나」 전문

내 존재 자체는 물론 나를 둘러싼 모든 것을 사랑하면 세
상 모든 것이 아름답게 보인다. 타인을 향한 사랑도 자신을
사랑하는 것에서 시작된다. 한마디로 시인은 시인 자신과 사
랑을 나누고 있다.
아울러 긍정의 힘은 나뿐 아니라 다른 사람들에게도 영향
을 끼친다.

다른 사람과 똑같지 않다고 하여
불행한 것은 아니다
모양새가 같지 않다고 하여
부끄러울 것도 없다

다른 이에게 없는 것 있으니
하늘의 복덕을 입었고
다른 이가 못하는 것 할 수 있으니
행운을 얻었으며

손과 팔이 돌아가고 힘없어도
말소리가 새어나가 어눌하여도
밥을 오래 먹고 걸음이 느려도
언제나 웃는 그녀의 모습은
아기천사 모습이다

희로애락과 동고동락 하는 동안
입으로 발로 오방색과 친화되어
붓과 물감은 몸과 일체 되어
하나가 되었고

진액의 땀으로 얼룩진 화폭에는
중년의 한을 토해낸 얼룩이 서려 있고
기쁨의 환희도 고단함의 슬픔도
붓끝에 실려 훨훨 노닐었다

세월에 의지하고 지탱하며
중년의 구족 화가는
오늘도 틀어지는 붓을 바로 잡으며
화폭 앞에 앉아 숨을 고른다
- 시 「그녀는 다르다」 전문

구족 화가를 바라보는 시인의 마음이 따뜻하다. 한 사람의 마음이 밖으로 퍼져나갈 때 모두의 삶이 아름답다. 긍정의 힘은 사랑이 있어야 한다. 삶에 대한 사랑, 나에 대한 사랑, 그리고 이웃에 대한 사랑이 세상의 모든 희망의 싹을 틔울 수 있기 때문이다.

그렇다면 윤수자 시인의 시 세계는 어떤 특징을 지니고 있을까? 앞에서 언급했던 것처럼 자기애를 통한 이웃 사랑과 감사의 마음을 담고 있다. 오스카 와일드가 말한 것처럼 '자신을 사랑하는 것이야말로 평생 지속되는 로맨스'인 것이다.

인생을 살아가는 데 가장 중요한 것은
나를 믿고 사랑하는 것으로
나에게 확신을 갖는 것이라 생각한다

가치 있는 인생을 살면서
가치 있는 사랑을 하는 것이
최고의 삶이고 행복이라 생각한다

가느다란 별빛 하나
소소한 빗방울 하나에도
눈물겨운 감동과 환희를 느낄 수 있는
맑은 영혼의 내가 되어

내게 맘 상하는 말 하는
그 사람으로 인하여
나 자신을 되돌아볼 수 있음에
감사하다

나에게 주어진 하루가 있음을

감사하련다

밥과 몇 가지 반찬
풍성한 식탁은 아니어도
오늘 내가 허기를 달랠 수 있는
한 끼 식사에 감사하련다
- 시 「다짐」 전문

우리는 살면서 여러 가지에 애를 쓴다. 일하기도 하면서 생각하고 쉬기도 한다. 그런데 분명한 것은 그 노력이 자신에게 향할 때 효과적이다. 남을 행복하게 하기 전에 자기가 먼저 행복해야 한다. 왜냐하면 내가 바로 서 있어야 남을 똑바로 일으킬 수 있기 때문이다. 그런 의미에서 윤수자 시인의 시는 자신을 사랑하는 데서 출발한다. 어쩌면 시인을 자신을 위해서 시를 쓰는 것이 아닌가 한다. 좋은 말의 씨앗을 심으면 언젠가는 남에게 꽃을 피우고 향기를 나누면서 그늘을 주고 열매를 나눌 수 있기 때문이다.

시리도록 하얀 쪽빛의 툇마루
달빛 머문 자리에
보름달 빛 휘영청 밝으니
신발 두 켤레 다정하다

청실홍실 비단신은
얽으러이 섥으러이
사랑 노래가 들리는 듯
달빛도 고요히 눈감아 준다
- 시 「달빛과 신방」 전문

사랑은 먼저 자신을 사랑하고 나아가 한 사람을 뜨겁게 사랑할 줄 알아야 한다. 내가 실을 얽어야 상대방도 다른 실을 함께 섞어야 한다. 그래야만 행복의 옷을 짤 수 있다.

그런데 사랑은 끊임없는 배움으로 새로워져야 한다. 사랑은 제자리에 머물러 있지 않다. 가만히 있으면 불같은 사랑도 꺼지고 만다. 그래서 시인은 그 한 사람을 생각해야 한다. 글을 쓸 때도 그렇다. 음식을 만들 때도 그렇다. 어느새 그 일이 다른 이에게도 연결되어 있음을 깨닫는다. 그래서 어느 한 사람을 떠올리면서 오직 한 사람을 위해 내 마음과 정성과 숨결을 모두 내어놓아야 한다. 그리고 끊임없이 사랑의 언어를 속삭여야 한다. 바로 성숙을 위한 발걸음이요 사랑의 길이다.

> 겸손의 알갱이를 넣어
> 더욱 고개 숙이는 사람이 되고자
> 글의 씨앗을 하나둘 담아본다
>
> 오늘은 뚜벅뚜벅
> 마음도 걸어보고
> 걸음마도 해보리라
>
> 햇볕 속으로
> 바람 속으로
> – 시 「성숙」 전문

그렇다면 시의 아름다움은 어디에 있을까? 글 쓰는 기쁨은 언제 우리에게 올까? 그렇다. 시를 쓰고 읽는 바로 지금, 이 순간이 아닐까?

지금 여기에 이 순간에 있는 삶의 기쁨을 찾지 못하면 언
제나 힘들고 외롭다. 글쓰기는 기쁨의 과정이다. 다시 말해
현재의 행복을 누리는 즐거움이다.

　　막가는 늦가을 풍경에
　　함박웃음 활짝 피었다

　　갈바람 스카프 날리며
　　소풍 나온 중년 부인들

　　빨간 립스틱
　　번쩍번쩍 귀고리

　　여자이길 포기한
　　납작 구두

　　주름진 미소 위에
　　동심은 뛰어놀고

　　푸짐한 웃음소리 뒤엔
　　소녀의 깔깔 소리가
　　메아리친다

　　가족 돌보기 위해
　　발걸음 종종거림은

　　여자이길 포기한
　　납작 구두가 되었고

가족을 위해 소진돼 감성은
빨간 립스틱 빤짝 귀고리로

허허로움 대신 한다는 것
뉘가 알랴마는

오늘만은 최고 행복한
중년 부인들의 자유가 빛나길
박수로 갈채를 보낸다
- 시 「어여쁜 중년」 전문

   중년 나이에 여인의 생각은 매우 긍정적이다. 발아래의 납
작구두를 보는 것이 아니라 빨간 립스틱 반짝 귀고리로 향한
다. 허허로움 대신에 자유가 있는 행복을 찾는다. 그래서 시
인은 시를 쓰는 그 행복을 찾아 나선 것은 아닐까. 불평의 집
에는 불평이 놀러 오는 법이고 기쁨의 집에는 기쁨이 놀러
오기 마련이다. 살다 보면 걱정도 있고 아픔도 있으며 어두운
시간도 있다. 하지만 그 어둠을 마음에 오래 두지 않는다.

고요하고 적막한 공간에
나는 행복을 심으려 애쓴다

지혜와 덕을 쌓아 이웃을 생각하며
간절한 염원으로 옷깃을 여미면서

애환의 그림자 행복의 그림자
엉켜있던 그림자가 하나둘 풀려나고

어둠이 내려 영원히 덮을 것 같던
아침은 어둠을 뚫고 다시 찾아와

햇살 담은 바구니에
살아 있음을 쥐어주고 간다
– 시 「알람의 선물」 전문

삶이란 선물을 받았으니 참 고맙고 멋지다고 생각한다. 이
선물 꾸러미 안의 모든 것, 가족과 이웃, 웃음과 사랑, 애환
과 아픔, 지혜와 덕, 삶은 순간순간 위대한 선물이다. 후회를
떠올리는 것이 아니라 희망을 찾아낸다. 환경을 원망하는 것
이 아니라 현실에 감사한다.

봄 여름 가을 겨울
사계는 흐르고 흘러
십이월도 떠날 준비에 바쁘다

그동안 모든 이들을 사랑하고
모든 일에 감사하며
여기까지 왔는가

지나간 일은 지나간 일이고
그냥 모두 잊고 지내자
그러면서 새로 시작할 수 있을까

새로운 시작의 의미는 무엇이고
흘러간 시간의 의미는 무엇인가

심어놓은 씨앗은

거짓이 없을 텐데

쭉정이 씨앗을 심었는지
알토랑 씨앗을 심었는지
봄이 오면 알게 될 터인데

봄 여름 가을 겨울
사계를 부끄럼 없이
다시 맞을 수 있을까
- 시 「사계를 보내면서」 전문

시인은 마음을 숨기지 않는다. 사랑의 마음으로 감사하면서
새로운 시작을 다짐한다. 왜냐하면 행복의 씨앗은 거짓이 없
기 때문이다. 그 행복은 봄이 오면 알 수 있고 사계절 내내
부끄럼 없이 오히려 마음을 펼칠 수 있다.
    시인은 가슴 깊은 곳에서 우러나오는 은은한 생각을 펼친
다. 긍정의 생각이다.

덥다는 핑계로
혼자 있는 시간을 부여한다

시간이 흐를수록
고독을 아끼며 보듬어 본다

멀리하고 싶었던 고독은
마음을 병들게 하는
암세포라 생각했는데

곁에 함께하고 보니
내 안을 바라보는 거울이 되어 준다

실없는 소리로 목젖이 보일세라
웃고 떠들며 힐링한다 변명하고

꽃 본다 봄놀이
계곡에 물놀이
가을 단풍놀이
설경 눈꽃놀이

눈에 담고 귀에 담고
그래야만 잘 사는 줄 알고

의식적으로 고독을 멀리했다
우울증이란 놈이 들이닥칠까 봐서
– 시 「고독도 친구다」 전문

고독은 자신을 들여다보는 거울이라고 말한다. 긍정의 생
각, 좋은 생각이다. 이 생각은 가슴 깊은 곳에 있기에 쉽게
드러나지 않는다. 그리고 흔들리지도 않는다. 아무리 가물어
도 시들지 않고 때가 되면 가지마다 좋은 열매를 맺는다. 바
로 행복의 씨앗이다.

시인은 마음의 양식이 가득한 법이다. 사랑과 감사, 친절이
가득하다. 평화와 기쁨이 넘치고 희망과 진실이 가득하다. 내
마음의 집에 좋은 생각, 좋은 이야기가 가득하면 이웃에게 좋
은 것들로 나눌 수 있다.

지난해 삶을 마감한 동절기는
오늘의 봄날로 환생한 듯
새싹을 틔우는 거사를 치르고 있습니다

봄날의 생동감은
세상 모두의 희망입니다
지구촌 어디라도 먼지 뚫고 피어오르라

배고파 쓰러지는 이 없도록
총탄에 맞아 쓰러지는 이 없도록
그들에게 봄의 기운으로 희망을 주소서

독풀도 새싹은 약이 되듯이
온 누리에 싹을 틔우고 있을
넘치는 봄기운으로

국가에는 평화를
각 가정에는 사랑과 행복을
맘껏 누리게 하소서 하늘이시여
– 시 「하늘이시여」 전문

   시인은 오늘도 기도한다. 겨울 동절기를 지나서 따뜻한 봄이 오듯이 아픈 사람에게 그리고 배고픈 이에게 또한 어두운 이에게 희망과 평화를 주고 싶다는 소망을 피력한다. 거기에다 가정의 사랑과 행복을 기원한다. 아울러 긍정의 생각을 표현한다.

   앞에서도 언급했듯이 좋은 생각은 긍정의 생각이요. 바로 감사의 마음에서 출발한다. 감사는 기쁨을 일으켜서 나를 더 좋은 일, 더 아름다운 관계, 더 행복한 시간으로 이끈다.

　같은 상황에서도 한 사람은 기뻐하고 한 사람은 불평할 때가 있다. 때마다 우리는 사랑과 미움, 희망과 좌절, 욕심과 양보 가운데 어느 하나를 선택한다. 그 선택은 바로 내가 하는 것이다. 따라서 시인이 선택한 자기 사랑을 통한 이웃에 대한 행복 나눔, 그리고 긍정의 생각이 그의 삶을 더욱 유쾌히 하고 있다.

　시인이 선택한 시인의 길, 멋진 인생으로 나의 행복 찾기, 아이들을 양육하고 시부모님을 모시면서 희로애락을 겪으면서 허한 마음을 달래며 고단하게 지냈다. 하지만 이제야 뒤늦게라도 자신을 사랑하자는 생각에서 용기 내어 마음을 일으키는 시 쓰기, 본인의 말처럼 영혼에 단비가 되고 위안이 되는 소소한 이야기와 생각들을 용기 내어 펼친 것이다.

　결론적으로 시인은 자신의 행복은 자신 스스로 만들어가야 한다고 말한다. 시 쓰기를 통해서 발견한 배움과 발견의 기쁨인 것이다.

　그의 지속적인 행복 찾기에 응원을 보낸다. 그의 건강과 건승을 기원한다.

# 3. 사람을 살리는 행복한 글쓰기
　- 김나경의 첫 시집 『사춘기와 갱년기』를 읽고

　문학은 사랑을 체험할 수 있는 간접공간이다. 그 사랑을 경험하려면 따뜻한 체온이 필요하다. 들에는 고독한 들꽃들이 아우성이다. 긴 시간 동안 춥고 어두웠던 땅속에서 겨울을 이겨낸 들꽃들은 아름답다. 자연이 아름다움을 뽐낼 수 있는 것은 바람과 추운 겨울을 이겨내었기 때문이다. 그러기에 그 봄은 아름다운 봄이다.

　눈비가 내리고 태풍이 지난 후에 미세먼지 한 점 보이지 않는 파란 하늘이 우리에게 감동을 준다. 우리의 삶은 매우 고달프기만 하다. 인생의 고달픈 시기는 사춘기와 갱년기다. 금세 터질 것 같은 꽃봉오리는 사춘기와 갱년기가 공존할 때도 있다.

네가 웃으면
나도 따라 웃지만
네가 울면
내 마음에 구멍이 뚫린다
눈보라가 온들
이보다 더 춥고 가슴이 시릴까
너의 눈물에
나는 그만 죽을 것만 같다
- 시 『사춘기와 갱년기』 전문

　시인은 딸과 아들의 웃음과 눈물에 반응한다. 무엇보다도 자녀의 눈물에 더 크게 아프고 힘든 것이다. 너는 바로 사춘기의 자녀요, 나는 갱년기의 엄마다.
　사춘기와 갱년기는 아름다운 인생의 꽃을 피우기 위한 고난의 몸부림을 치던 시기다. 툭하면 다툼과 눈물과 아픔과 원망의 화가 쌓이자 갱년기의 시인은 살고 싶다는 생각에 사춘기 아들을 안고 글 속으로 들어간 것이다. 우리의 글말은 사람을 죽이기도 하고 살리기도 한다. 시인은 서언에서 밝힌 것처럼 "나는 글 속에서 사람을 살리는 글을 찾아다녔다."고 했다.
　대한민국은 경제적 측면에서 상대적으로 높은 수준의 물질적 풍요를 누리고 있다. 하지만 정서적 행복감은 바닥 수준을 면치 못하고 있다. 열심히 노력하나 행복하지 못하다는 것이다.

엄마와 딸로 만난 우리
좋은 일도 함께하고
슬픈 일도 함께하는
실과 바늘이었고

서운한 일이 있을 때도
엄마와 딸이었다
사춘기도 잘 보내고
예쁘게 잘 자라서

장군의 아내가 된 너에게
나는 엄마이기에
언제나 부족함 없이 활짝 웃는
행복한 아내가 되기를 기도한다
- 시 「사랑하는 딸」 전문

시인은 엄마로서 딸에게 말한다. 엄마와 딸로 만난 가족으로서 실과 바늘 같은 존재였지만 지금은 장군의 아내가 된 딸이다. 엄마로서 딸에게 활짝 웃은 행복한 아내가 되기를 소망하고 기도하는 것이다.

시인은 시를 통해서 제 인생을 관조하게 된다. 여기서 시인이 추구하는 것은 도대체 무엇일까? 역시 '사랑'일 것이다. 교육도 사랑, 종교도 사랑, 그리고 철학이란 용어 역시 사랑과 행복을 경험하기 위해 존재하는 것이다. 그래서 문학의 본질은 역시 사랑일 수밖에 없다. 그래서 앞에서 언급한 것처럼 문학은 사랑을 체험할 수 있는 간접공간이다.

김나경의 시집 『사춘기와 갱년기』는 작가의 사춘기와 갱년기, 아이들의 사춘기 경험을 기록한 시집이다. 사람들에게 위로를 주고, 희망을 줄 수 있다는 사명감으로 자신의 삶을 고백하는 사랑의 글인 셈이다. 그렇다면 시인이 추구하는 삶은 무엇일까? 바로 행복한 삶으로서 글 쓰는 시인의 삶이다.

일찌감치 눈을 뜬 아침
창밖에는 촉촉한 봄이
부르르 웃으며 안개 속에서
나를 향해 아직 춥다고 손을 흔든다

향이 가득한 모닝커피를 생각하며
주방으로 갔더니
어젯밤 식탁 위에 두었던
귤 바구니가 눈에 들어온다

껍질들로 가득한
바구니 안에
귤 하나가
덩그러니 자리하고 있다

맛있다고 또 사달라던 아들이
마지막 남은 한 개를
엄마 몫으로 남겨두었나 보다
행복한 웃음이 터져 혼자 웃었다

귤이 사랑의 사춘기가 되어
말하지 않아도 사랑의 마음을 나누게 한다
- 시「사랑의 사춘기」전문

아들이 남긴 귤 하나가 시인의 마음에 사랑의 울림을 준다.
이렇게 경험적 자아는 행복을 표현한다. 사람들은 노력을 통
해 삶에 대한 의미 부여를 하는 것에 능숙하다. 하지만 지금
순간의 행복을 누리는 것에는 미숙하다. 자신의 내면에서 즐
거움을 느끼지 못한 채 남을 판단하고 환경을 탓하기 때문이

리라. 삶에 불평불만이 앞서는 경우가 참 많다. 어떤 사람들은 과도하게 순간의 즐거움만을 추구하다가 진정한 삶의 의미를 놓치는 경우가 비일비재하다. 하지만 시인은 그 사랑의 과정과 행복의 순간을 시로써 매일 표현한다. 김나경 시인은 아이들의 사춘기, 나의 갱년기의 위기를 글 속에 이렇게 담았다.

겨울 끝자락
복도 한쪽 추위에 떨고 있는
너를 발견하고
내가 네게 사랑을
듬뿍 주겠노라고
데리고 온 너 행복 나무
오늘 보니
내 사랑은 변하지 않았는데
너는 왜 이리도 삐쩍 말라
누렇게 떠 있는 것인가 했는데
뭐라
내 사랑이 변한 것이라고
한참을 생각해 보니
그런 것 같다
매일 예쁘다고 이야기해 주고
쓰다듬고 사랑한다고 말하고 했었는데
언제인가부터 나는 너를 볼 수 없었다
아니, 잊고 살았다
너는 항상 내가 볼 수 있는
그 자리에 있었는데도 말이다
처음에는 너를 보거나 생각만 해도
입가에 미소가 피어올랐으나
이제는 너를 봐도 설레는 느낌 없이

누렇게 변해가는 너를 탓하고 있다
달이 매일 다른 모습이듯
사랑도 달처럼
매일 변하여 가는 것
내 사랑도 그러하다
- 시 「무관심」 전문


　사춘기와 갱년기가 겹치면 폭발하게 마련이다. 뇌과학적으로 설명하면 평소에는 뇌 안에 브레이크가 걸린 것이다. 예를 들어 차가 가다가도 이성의 끈으로 브레이크를 밟을 수 있다. 하지만 사춘기에 딱 들어서면 브레이크가 고장 난다. 브레이크만 고장 나는 게 아니라 아예 차 자체의 모든 장치가 고장이 나는 법이다. 그 이유는 무엇일까? 소통이 없는 무관심에서 비롯된 변화를 인정하지 않는 것이다. 그리고 가족의 무관심이다.
　부모가 갱년기에 들어서면 어떻게 될까? 우울증이 온다. 그뿐인가. 감정 호르몬으로 인해 뇌 안이 폭풍이 일어나는 시기다. 아이도 폭풍, 어머니도 폭풍. 이 시기에 부딪히면 답이 나오지 않는다. 시인은 문제점을 무관심에서 찾는다. 바로 그 해결점은 바로 가족 간의 관심에서 찾아야 한다. 가슴에 구멍이 난 상태에서 혹은 고독한 삶 속에서 가족이 그리운 것이다. 바로 힘겨울 때 내 곁에 가족이 있어야 행복한 것이다.


　물빛 하늘 밑에서
　홍로를 떠나보내며

　벌레들의 한 끼가 되고

앙상한 가지에
듬성듬성 구멍 난 이파리들

그 사이에
썩어진 홍로 한 개
있는 힘을 다해 매달려 있다

그래도
돌봐줄 가족이 있어
나무는 행복하답니다
– 시 「홍로」 전문

과일 '홍로 사과'를 통해서 시인은 어머니로서 가족을 지키는 나무다. 행복한 나무라고 말한다. 행복의 주체는 바로 시인 자신임이 분명하다.

행복은 스스로 가치 있게 여길 때 행복하다. 자신과 가장 가까운 존재인 가족이 얼마나 소중한 존재인지 깨달을 때 행복하다. 갱년기의 엄마는 자신의 모든 것을 내어준다. 벌레들에게 자신의 신체를 내준다. 혹은 기다림 속에서 썩어지는 아픔을 겪는다. 외롭고 힘들 때가 참으로 많다.

도대체 사랑이란 무엇일까? 사랑은 행복과 불행 사이에서 우리들의 삶을 조정하는 것이 아닐까? 사랑은 정말 알 수 없는 정체다. 때로는 가장 행복하고 가끔은 가장 절망적이다. 하지만 언제나 숭고하다. 사랑은 인생의 영혼을 충만케 한다. 그래서 사랑은 새로운 아름다움을 발견하는 정신작용의 하나로 받아들인다. 바로 시인이 시를 쓰는 과정이 바로 사랑의 아름다움을 발견하는 과정이다.

산다는 것은
사랑하는 일

사랑이 없다면
꿈도 희망도 싹트지 않는다

사랑이 빠져나가면
모든 것에

의미가 부여되지 않는다
한때

찬란하게 빛나던 사랑도
구름 속 태양처럼

빛을 발하지 못하고
고장 난 가로등처럼
빛이 있다가 사라지고
사라졌다 나타나기도 하듯

가끔 힘이 아닌 짐이 되는 관계로 변하기도 하며
흙탕물 튀긴 새로 산 옷과 같고

변질된 사랑은
햇빛 아래 내 던져진 플라스틱과 같으며

사랑의 빛깔은
저녁노을처럼 변하여 간다
— 시 「사랑의 에너지」 전문

사랑의 만남과 스침의 관계는 운명적이다. 우리에게는 아픔일 수도 있고 기쁨일 수도 있다. 이러한 상황은 언제나 요지경이 되면서 많은 관심의 초점을 만들 것이다. 결국, 사랑은 행복과 불행을 동시에 체험하면서 아슬아슬하게 비행하는 요지경이 되는 것이다.

듣고 있어도 들리지 않고
보고 있어도 보이지 않는다

머릿속에 벌레가 살고 있다
기억을 갉아먹는

슬픈
안타까운

행복한 기억을
하나씩 먹어 치우고 있다

벌레는
마침내

숨 쉬는 것마저 먹어 버렸다
– 시 「기억을 먹는 벌레」 전문

인간은 행복한 기억을 잊는다. 인간에게 기억을 먹어치우는 망각이라는 벌레가 있기 때문이다. 그것은 부정적인 관점이다. 행복은 좋을 것을 바라보는 관점이 필요하다. 즉, 행복의 프레임을 갖춰야 한다.

행복에서 가장 중요한 요소는 긍정적인 정서 체험이다. 시인은 이를 간파한 듯하다. 긍정적인 정서는 삶의 만족도를 높이는 핵심 요소다. 가장 가까운 사람들인 가족을 긍정적인 관점으로 바라본다. 가족의 좋은 점을 찾아봄으로써 가족이 무엇보다 소중한 존재임을 깨닫는다. 행복을 함께 만들어가는 사람은 바로 가족임이 분명하다.

사람은 혼자 있을 때보다 누군가와 함께 있을 때 행복하다. 서울대학교 행복연구센터에서 20대 이상 500여 명을 대상으로 2주일 동안 가장 행복한 활동이 무엇인가 설문한 적이 있다. 그 결과 최고의 행복은 가족 여행이었다.

그대의 행복한 눈물 한 방울이 뚝
떨어져 그대의 아픔을 녹여 내릴 때
꽃 한 송이가 피어날 거예요
웃음꽃
사랑하는 그대에게
웃음꽃이 피어나기를 기도합니다
– 시 「웃음꽃」 전문

사람은 무엇보다도 자신의 가치를 깨닫고 자신을 소중하게 여기며 자신이 가장 즐겁게 잘할 수 있는 일을 할 때 행복을 느낄 수 있다.

미국의 심리학자 마틴 셀리그만(Martin Seligman)에 따르면 자신만의 고유한 특성인 강점을 찾아 적극적으로 활용하면 자신이 얼마나 가치 있는 사람인지 깨닫게 되고 더 큰 행복을 느낄 수 있다고 했다. 그런 면에서 김나경 시인은 글쓰기를 좋아한다. 시인은 시집을 출간하면서 글 쓰는 행복을 찾는다.

　아침에 눈을 뜰 때 좋은 꿈이 생각나면 실제로 좋은 일이 일어난 것처럼 괜스레 기분이 좋다.
　창을 열자 하얗게 세상을 덮고 있는 흰 눈이 보인다
　밤새 쌓인 하얀 눈을 보니 또 기분이 좋아

　와~ 눈. 이. 다.!!
　혼자 감탄하며 생각해 본다

　그래. 깨끗하고 좋다
　온통 하얗잖아
　인생도 그렇지, 깨끗한, 흠집 없는, 그런 삶
　남들은 대충 다 아는데
　세상이 뭔지 인생이 뭔지 잘 모르고, 잘못 생각하고 살고 있다는 것을 모르고, 권력을 손에 쥔 짜는 권력을 남용하여 휘두르고, 자존심만 있는 이들은 자존심을 살리겠다고 소리 지르고, 표현하고, 자존감이 없는 이들은 자신을 함부로 하대하고 자신을 사랑하지 못하고, 아무 생각도 못 해 목소리도 낼 수가 없지.

　나도 한때는 목소리를 못 낸 적이 있었어. 자존심 높은 인간과 가까이하면 그래 세상이 두려워져서 말이야. 그러나 잘못된 생각을 실천에 옮긴 행동들이 결국 성공에 도달했을 때 발목을 꽉 움켜잡혀 벗어날 수 없게 되고 마는데, 그때 그 누구를 탓하고 원망할 거야? 자존심은 죽이고 자존감을 높여봐.

　흰 눈이 인간의 잘못됨과 그름, 그 모든 것들을 덮은 뒤, 녹아내릴 때 그 잘못됨마저 모두 녹아내리게 했으면 좋겠어.
그러면 미움도 원망도 사라져 모두가 활짝 웃는 세상이 되지
않을까?
- 시 「청춘을 잘살아야 한다」 전문

자존심은 죽이고 자존감을 높이는 삶, 잘못된 삶, 그릇된
삶을 덮는 흰 눈처럼 청춘을 잘살아야 한다. 허투루 사는 삶
이 아닌 미움도 원망도 사라져 모두가 활짝 웃는 삶을 꿈꾸
는 것이다. 그것은 바로 글 쓰는 시인의 삶을 살아가는 방법
이 아닐까 한다.

시인은 아이들의 사춘기, 나의 갱년기의 위기를 글 속에 담
았다. 우리가 세상에 다녀가는 것은 이유가 바로 여기에 있다
고 했다. 바로 삶의 흔적을 글로 남기고 가는 인생을 꿈꾸는
것이다.

어둑어둑한 대지 위에
비가 주룩주룩
빗소리에 세상의 모든 것들이
내 안에서 정지되었다

요란하다 못해 무섭도록 절규하며
내리는 빗소리에 나의 심장마저
배터리가 다 된 리모컨처럼
멈춰 버린 듯 움직이지 않는다

미움, 시기, 다툼, 행복
모든 인간과 함께하는
단어들

내 것이면서 내 것이 아닌

세상에 모든 것들
그러나 오롯이 내 것인 것도 있다
죽음
온전히 내 것이 될 때가 올 것이다
- 시 「그런가 보다」 전문

인생은 오로지 한 번뿐이다. 죽음은 온전히 내가 준비하고
맞이해야 한다. 그리고 희망은 마음 안에 있다. 시인은 오늘
도 글을 쓰면서 사랑과 행복을 향해 힘차게 다시 달려가고
있다.

따끈한 침대
세탁기 도는 소리
TV 소리
내 궁디 옆에 붙어 있는
두부의 느낌
꼼지락꼼지락
부스럭부스럭
몽글몽글한 움직임

머리 눈이 아파 누웠으나
잠은 오지 않고
혈액순환 잘되라고
폼 블럭 위에 올려놓은
애꿎은 다리만 저려온다
- 시 「가족」 전문

가족이 사라진다면 행복할 수 있을까? 아마 그렇지 않을 것이다. 가족이 있어 행복할 때가 훨씬 많기 때문이다. 동생이 나를 웃겨줘서 행복하고, 언니가 내 고민을 들어줘서 행복하다. 또 어머니가 그리고 아버지가 나를 칭찬해줘서 행복하다.

얼어붙어 투박해진 유리창
입김을 불어 손으로 쓱쓱

창밖은
하늘을 바라보지 않아도

잿빛이다
탈색한 나뭇잎이

휘어버린 허리를 비틀어
떨어진 몇 알의

싸리눈을
부여안고 떨고 있다

나는 콧속을 강타하는
찬바람에 휘청이다

나뭇잎 눈물 한 방울에
싸리눈을 섞어 마시고
혼자서 나를 토닥거린다
괜찮아. 괜찮아. 우린 가족이 있잖아
- 시 「싸리눈」 전문

가장 가까운 곳에서, 행복을 함께 만들어가는 사람은 바로 가족이다. 전통적으로 자녀를 돌보고 기르는 것은 어머니의 몫이었다. 그러나 요즘에는 어머니들도 다양한 직업을 가지고 적극적으로 사회생활을 하기에 어머니의 역할을 나눠서 할 가족이 필요하다. 동물의 세계에도 놀랍게도 수컷이 암컷을 대신해 새끼를 돌보는 동물들이 있다. 예를 들어 가시고기는 암컷이 둥지에 알을 낳는다. 암컷이 떠나가면 수컷은 새끼가 부화하여 독립할 때까지 혼자서 둥지를 지킨다. 알을 보호한다. 이는 바로 생존의 문제이기 때문에 매우 중요한 일이다.

　　꽃들의 가족은
　　점점 숫자가 줄어든다

　　줄어드는 가족 수만큼
　　나의 뇌세포도 줄어들고

　　식어가는 심장은
　　단단한 돌멩이로 변해간다

　　그러나 그는 물이기도 하다
　　강하고 부드러운

　　틀에 따라 달라지는
　　- 시 「생존」 전문

　시인은 생존을 위해서 가족의 수가 줄어들고 식어가는 심장(사랑)은 돌멩이로 변해간다. 하지만 시인은 가족은 강하고 부드러운 물이라고 표현한다. 세상의 틀에 따라 가족의 의미도 달라지는 것이다. 행복에 관한 마음의 깨달음도 중요하지만, 생활방식을 바꾸어야 한다. 마음만 가꾸고 생활을 바꾸지 않으면 행복에 도움이 되지 않는다. 우선 가족과 함께 하는 시간을 늘려야 한다. 즐거움과 의미를 동시에 주는 활동을 늘려야 한다. 특히 가족과 함께 하는 여행, 산책, 운동 등을 늘려가야 한다. 대신에 TV, 인터넷, 휴대폰 등은 바로 행복을 파괴하는 마귀일 뿐이다. 수동적이고, 비관계적인 활동들을 줄여야 한다. 왜냐하면 행복을 파괴하는 마귀이자 지옥을 만드는 일이기 때문이다.

마귀가
따로 있는 것이 아니다
사랑 주는
가족을 알아보지 못하고
괴롭히는 사람이 있는 곳
그곳이 지옥이며
그는 마귀이다
바로 너
－ 시 「마귀」 전문

이상에서 살펴본 바와 같이 김나경 시인의 시 세계는 긍정적인 삶의 자세에서 비롯된 행복한 글쓰기를 목표로 한다. 그의 역할은 바로 어머니와 시인의 역할을 감당하고 있다.

아무 계획 없이 놀기만 하는 게으른 생활에서 행복을 느낄수 없다. 삶에 대한 적극적인 태도를 가질 때 더 많이 행복을 느낄 수 있는 것이다. 목표가 있는 사람은 목표를 이루기 위해 집중한다. 노력하는 과정에서 자신감과 성취감을 얻게 되므로 목표가 있다는 것은 곧, 행복한 삶을 의미한다.

러시아 출신의 미국의 심리학자 소냐 류보머스키(Sonja Lyubomirsky)는 자신에게 의미 있는 목표를 세우고 열정을 다해 노력할 때 행복감이 커진다고 했다. 바람직한 목표를 세우고 목표를 이루기 위해 성실하게 노력하는 시인의 자세는 우리가 본받아야 한다. 그가 글을 쓰는 목적은 행복을 위한 것이다. 목적이 이끄는 삶은 분명 행복하다.

다시금 시인이 언급한 '시인의 말'을 들어보자.

글은 세 치의 혀처럼 사람을 죽이기도 하고 살리기도 합니다. 나는 글 속에서 사람을 살리는 글들을 찾아다녀야 했습니다.
(중략) 나의 갱년기와 아이들의 사춘기 경험이 사람들에게 위로를 주고, 희망을 주며, 삶에 끈을 놓고 싶은 이들에게 지혜와 희망과 용기를 주는 글이 되기를 바랍니다.
– 시인의 말 「책을 출간하면서」 중에서

김나경 시인은 이제 아름다운 글로 행복한 세상을 꿈꾸는 첫걸음을 시작했다. 그의 꿈이 반드시 실현하길 소망한다. 행복하면 건강한 법이다. 그의 글 쓰는 작가로서의 활동이 행복한 경험이 되길 바란다. 아울러 그의 건승을 기원한다.

# 4. 열정과 헌신이 낳은 뜨거운 우계 사랑

- 성의순 편저 『고결한 선비 우계 성혼을 만나다』 읽고

성의순 선생님은 1938년 경기도 양주 출생으로 숙명여자대학교 정경대학 상학과를 졸업한 그 후 경제기획원 공무원으로 일하다가 정년퇴직한 후에 (사)한국전례원 예절교수, 국가공인실천예절 지도사, 한국효충예절문화 연구원, 무계원 서당 훈장, 성균관 석전교육원 교육부장, 성균관 문묘 해설사 강사, 성균관 전학, 전례사, 전수생, 우계문화재단 교육이사, 성균관 부관장으로 활동하고 있다. 아울러 2019년 02월에는 국무총리상과 행정안전부장관상을 수상했다. 더불어 북촌예절문화원 원장으로 활동하시면서 2012년 『서울문학』 가을호에 수필 부문 신인상 수상으로 등단했다. 현재는 글벗문학회 정회원으로 활동하시면서 2020년부터 공모연수 책만세와 글벗문학회에 시화전 등 모든 행사에 열정적으로 활동하시면서

한 번도 빠짐없이 모든 행사에 적극적으로 참여하고 있다. 현재는 우계문화재단 교육 이사는 물론 성균관 부관장으로 활동하면서 전국의 초중고에 우계 성혼 선생의 업적과 전통문화와 전통 놀이를 알리는 데 열정적으로 참여하고 있다. 이렇게 교육자원봉사 1만 시간 이상을 돌파하는 등 구순의 나이가 가까움에도 열정적으로 교육활동에 참여하고 있는 것이다. 얼마 전에는 고양시에 중학교에서 '경기도 사람책'으로 활동하는 것은 물론 글벗문학회에서도 각종 백일장과 시화전에 참여하는 것은 물론, 글벗백일장에 우수상(2020년)과 아차상을 수상하는 등 열정적인 활동을 전개하고 있다.

특별히 글벗문학회의 노래로 '글벗 인사'와 '책만세' 노랫말을 창작하여 발표하는 것은 물론이고 지속적인 글 나눔과 배움 활동에 열성을 다하고 있다.

지금도 서울에서 경기도의 고양지역, 파주지역의 39개 학교에 각종 전통문화 예절교육 등의 자원봉사 프로그램에 적극적으로 참여하고 있다. 이런 열정적인 교육적인 활동에 교육기관의 담당자는 물론 지켜보는 모든 이에게 감동을 주고 있다. 이런 모습은 젊은이에게는 물론 함께 하는 교육자에게도 모범이 되는 일이다. 이에 존경하지 않을 수 없다.

성의순 선생님과의 인연은 3년 전인 2019년 7월로 기억한다. 우계문화재단의 교육 이사로 활동하면서 우계문화재단에서 발간한 책 『우계 성혼』을 각 학교에 홍보하고 각 학교를 순회하면서 방문한 바 있었다. 아울러 경기도교육청에서 주관하는 사람책 프로그램에 참여하면서 경기도 꿈의학교에서 학생들의 독서토론을 지도하는 등 후세를 위한 그분의 열성과 헌신을 만날 수 있었다. 그분의 교육철학과 열정적인 프로그램의 참여는 모든 이의 탄복을 불러일으키기에 충분했다. 작은 키에서 나오는 낭랑한 목소리와 노래는 물론이고, 학생들 앞에서 한복을 입고 신나게 율동을 하며 노래를 부르는 모습은 참으로 감동적이었다. 특별히 학생들에게 배움을 통해서 긍정적인 에너지를 발산하면서 영향을 주고 있다. 이에 존경의 마음을 품지 않을 수가 없었다. 아니 그분의 품성과 열성에 반했다고 말해야 올바른 표현이다.

이제 그는 우계 성혼 선생님의 청빈한 삶과 고결한 선비정신을 여러 학생과 파주의 지역 사람들에게 온전히 전하기를 소망했다. 그리고 학생들의 인성교육과 예절교육을 위해 오로지 봉사의 마음으로, 그것도 자비량으로 참여하면서 항상 환한 웃음을 잃지 않고 있다. 이 어찌 아름다운 일이 아니겠는가. 성의순 작가와의 동행은 참으로 행복한 일이고 또 의미 있는 일이다.

성의순 작가를 만나면서 떠오른 행복의 언어가 있다. 프랑스 작가 조르주 상드(George Sand, 1804~1876)의 명언이다.

"우리 인생엔 단 하나의 행복만 있다. 그것은 사랑하고 사랑받는 것이다(There is only one happiness in life, to love and be loved)."

긍정적인 사람의 가장 큰 특징은 하루하루를 소중하게 여기며 산다는 것이다. 어쩌면 성의순 작가는 '하루'라는 시간이 주어졌다는 사실 앞에서 기뻐한다. 오늘도 "어떻게 유익하게 사용할까? 어떻게 아름답게 사용할까? 어떻게 즐겁게 나눌까?"를 생각하며 최선을 다하는 삶을 살고 있다.

하루라는 개념 속에서 1년이라는 개념보다 365배 값지게 살아가는 삶이라고 말해야 하지 않을까? 건강도 하루의 소중함을 아는 사람에게 주어지는 법이다. 행복도 세월이 아니라 지금 여기에 있는 오늘, 하루하루 안에 있기에 열정을 다하는 삶을 사는 것이다.

나는 감히 성의순 작가를 나눔과 배움의 여장부이자 우리 시대의 작은 영웅이라고 말하고 싶다. 왜냐하면 마음이 한결같은 분이기 때문이다. 마음은 감정을 따라 움직인다. 또 흔들리기 쉽다. 그 때문에 마음을 한결같이 건강하고 아름답게 유지하는 것은 결코 쉬운 일이 아니다.

우리는 이기심과 보호본능 때문에 근본적으로 자기중심적이다. 그럼에도 타인을 향해 마음을 열어놓고 오롯이 나눔을 실천하고 있다.

뜨거운 무더위 속에서도, 코로나19로 어려운 상황에서도, 춥고 힘겨운 겨울날에도 성의순 선생은 열정의 삶을 살고 있다. 서울 장승백이에서 파주지역 혹은 연천 종자와 시인박물관까지 어린 학생들을 위해서 전철과 버스, 택시를 타고 오가면서 그들과 나눌 소중한 이야기보따리를 들고 행복의 발걸음을 계속하는 것이다. 그래서 성의순 선생은 우리 글벗문학회는 물론 성균관, 그리고 우계문화재단에서 어느샌가 큰어른이 되어 있는 것이다.

힘이나 사상은 일시적이다. 그 영향력은 한계가 있을 수 있다. 그러나 마음은 모든 사람에게 한결같이 나타나기 때문에 그의 삶은 위대한 것이다.

다시금 우리 시대의 영웅으로 성의순 작가를 존경한다. 그와 함께하는 아름다운 나눔과 배움의 시간이 참으로 소중하고 행복하다. 그래서 나는 성의순 작가를, 아니 성의순 선생님을 존경하지 않을 수 없다. 다시 말하건대 나는 그의 영원한 팬이 되었다.

사랑은 시간을 거스르는 힘이 분명 있다. 사랑은 때마다 기적을 일으키고 날마다 새로운 날을 맞이하게 한다. 그렇기 때문일까? '사랑하면 나이와 세월을 잊는다.'고 하지 않던가. 구순을 바라보는 나이에 계속해서 배움의 기쁨과 나눔의 기쁨, 사랑의 기쁨을 만끽하길 소망한다.

이 책을 발간하기까지 아마도 3년 정도는 걸린 것 같다. 처음 기획한 때부터 자료를 찾고 퇴고하고, 그리고 다시 정리하고 함께 수정하면서 무던히도 땀을 흘렸다. 성의순 선생님께서는 얼마나 꼼꼼하신지? 잘못된 원고는 다시 고치고 수정하고 또다시 확인하는 작업을 계속해서 반복했다. 아직도 정리되지 않은 자료들이 엄청나게 많다. 본인이 실천한 다양한 교육자료와 사진, 그리고 본인이 활동한 엄청난 자료들이 차고도 넘친다. 그러나 한계가 있어서 이 책에 다 게재하지 못한 아쉬움이 많다. 아마도 다음 기회에 그 많은 자료를 정리해서 다시금 책을 개정판 혹은 새롭게 출간하리라 믿는다.

오늘도 소망한다. 성의순 작가님을 존경한다. 언제나 건강하고 행복한 발걸음으로 늘 함께하길 소망한다. 그의 열정에 비례해서 건강과 행복도 충만하기를 기원한다.

# 제2부
# 자연과 인생

# 1. 물아일체의 삶에서 찾은 시인의 사명
　－ 고정숙 시조집 『지나고 보니 삶이어라』 읽고

지나고 보니 삶이어라

　"문학인의 사명, 시인으로서의 사명은 도대체 무엇일까?"
　고정숙의 시조집 『지나고 보니 삶이어라』를 읽고 깨달은
화두이자 필자의 생각이다. 왜냐하면 고정숙 시인은 문학인으
로서 자신의 사명을 실천하고자 노력하는 헌신적인 시인이기
때문이다.
　고정숙 시인은 2016년에 《국제문단》에서 시 부문에 등단
하여 2017년 국제문단 작가상, 2021년에는 한국문학 다향
발전상, 2022년에는 열린문학 작가상을 수상한 바 있다. 아
울러 2020년 6월에 개인 첫 시집 『매일 피는 꽃』을 발간한
바 있다. 2021년에 글벗문학회 회원으로 가입하여 매일 한
작품의 시조를 창작하는 등 활발한 활동을 전개하고 있다.
　이에 필자는 시인의 사명을 세 가지로 나누어 생각해 보고

자 한다.

첫째, 시인은 시대 정신을 진단하고 치유해야 한다.

시인이 시대의 아픔을 직시하고 외면하지 말아야 한다. 왜냐하면 시대와 맞서서 상처받은 영혼을 위로하는 시인이야말로 건강한 시인이고 건강한 사회를 만들기 때문이다.

이러한 점에서 시인은 모방론적 관점과 효용론적 관점에서 문학 작품을 쓰게 된다. 그 때문에 문학인은 변하는 사회와 자연 속에서 사유하며 하찮은 존재에서도 삶의 의미를 발견할 수 있어야 한다.

흐르는 시냇물에
뿌리를 깊게 내려

스스로 때가 되면
창포꽃 미소 짓고

물 위에
고단한 몸을
얹으면서 피었다
- 시조 「창포」 전문

시조 「창포」에서 보듯 시인은 자연 속에서 물아일체의 삶으로 자연과 더불어 사는 삶의 모습을 표출한다. 세월의 흐름 속에서 창포꽃은 피어난다. 더불어 고단하고 힘겨운 삶 속에서도 꽃은 피는 것이다. 시인은 삶의 아픔을 노래한다. 그리고 이를 극복하고자 하는 삶의 자세를 자연에서 발견하고 표출한다. 이것이 바로 시인의 사명이 아닐까?

수없이 헤어지려
마음을 접고 풀고

집착을 하게 되니
번민만 쌓여가고

무거운 짐 거머잡고
오도카니 앉았다

말없이 떠나버린
그대가 야속해서

눈물로 수많은 밤
지새며 고통받고

이별의 아픔 겪고서
그를 떠나 보낸다
- 시조 「이별의 고통」 전문

인생의 삶은 이별의 고통이 따른다. 어쩔 수 없는 슬픔이지
만 숨김없이 자신의 정서를 표출한다.

시인은 남다른 관찰력이 있어야 한다. 그런 후 깊은 교감이
이루어져야 한다. 여기서 문학적 기교까지 덧붙인다면 더할
나위 없다. 시인은 이별의 아픔을 겪으면서 아직도 그리움에
젖어있다.

둘째는 자아 및 생명과 자연에 대한 깊이 있는 사유와 성
찰이다. 고정숙의 시조 쓰기의 본질은 창작의 영감을 자연으
로부터 받은 데 있다고 본다. 물론 자연 사물에서 문학의 근

원을 발견하려는 태도는 시인만의 생각은 아니다. 천기(天機), 또는 물아일체(物我一體)는 선조들의 자연관에서도 쉽게 떠올릴 수 있다. 기본적으로 자연과 문학은 친연성(親緣性)을 강조한다. 강호가도(江湖歌道)를 노래하는 수많은 시조는 자연의 아름다움을 찬미하고 자연을 가까이하자고 말한다. 이처럼 인간의 도덕을 드러내고 내면을 이야기하는 도구로 지금껏 활용해 왔다.

고정숙 시인도 마찬가지다. 자연과 인간의 질서, 자연과 사회의 조화를 말할 때마다 시조로 이야기하려고 한다.

어미새 아기새를
둥지서 잘 키우다

저 푸른 하늘 너머
새로운 꿈을 찾아

더 높이 날아 올라가
살아보라 내쫓다

힘차게 강한 바람
맞서서 이겨내며

폭풍우 몰아쳐도
두려워하지 않고

아기새 엄마새처럼
멋진 삶을 살겠지
- 시조 「아기새」 전문

시조 「아기새」를 통해서 자녀교육에 대한 부모의 마음을 진솔하게 표현한다. 평범하지만 부모의 소망을 담은 시조다. 자녀를 분가시키는 마음을 내쫓는 부모의 마음으로 표현하면서 강한 바람을 이겨내는 삶을 살기를 소망한다.

장대비 세게 맞아
나뭇잎 흐느끼고

덩달아 아파오는
마음이 멍이 들어

한잔의 커피 한 잔에
슬픔 녹여 마신다

아늑한 전등불에
그림자 어른거려

스치는 옛이야기
머물다 사라지니

몽롱한 빗줄기 리듬
꿈이었나 보구나
- 시조 「장대비」 전문

장대비를 맞는 날, 그 아픔을 커피 한잔에 녹여 마신다고 말한다. 아울러 지난날 추억의 꿈도 꾼다. 살아가는 자체가 시련이고 아픔이다. 허무감은 어쩌지 못할 운명이 아니던가. 장대비를 맞으며 살아가는 우리들의 모습이 위에 클로즈업되

고 있다. 커피 한 잔에 슬픔을 녹이면서 살아가려 해도 내가
꿈꾸는 세상은 몽롱한 꿈일 수밖에 없음을 제시하고 있다.

물방울 품고 있는
봄꽃에 아롱다롱

여울진 그 임 모습
서글픈 미소 짓네

보고파
애절한 심사
젖어가는 그리움
- 시조 「물방울꽃 1」 전문

아울러 물방울꽃을 보고 임을 떠올리면서 그리움에 젖어가
는 모습 또한 물아일체의 경지다. 자연과 인간이 하나 되는
경지다. 곧 물방울꽃에 어리는 임의 모습, 미소 짓는 그 모습
에서 임을 찾고 연모하면서 그리워하는 것이다. 바로 물아일
체의 극치가 아니겠는가?
셋째, 시인에게는 삶의 세계를 꿰뚫어 보는 분석의 눈이 필
요하다. 현대 시조는 감각, 상상력, 영감, 문체, 이런 것들에
대한 가치를 더 소중하게 일깨워가야 한다. 이런 요소들은 시
조가 지녀야 할 핵심 요소이기 때문이다. 다양한 사유와 상상
력으로 이루어진 독창적 작품이 눈에 띄게 마련이다. 고정숙
시인은 자연 속에서 삶을 발견하고 삶 속에서 그리움을 만나
는 것이다.

자주색 꽃잎 안에
순백의 마음 담고

화려한 의상 안에
속치마 받쳐 입듯

은밀한
사랑 감추고
고혹 미소 흘린다

눈길을 잡아끄는
자목련 슬픈 표정

애타게 고대하는
외로운 아픈 사랑

피멍 든
꽃잎 꽃잎에
서러움이 어린다
– 시조 「자목련의 사랑」 전문

　자목련이라는 객관적 상관물을 통하여 모든 꽃에는 피멍
든 아픔과 서러움이 숨어있다는 내용을 담고 있다. 중장에서
'화려한 의상 안에 속치마 받쳐 입듯' 은밀한 사랑을 감추고
고혹한 미소를 흘린다고 했다. 많은 것을 생각하게 하는 좋은
작품이다. 자목련을 통해서 인생을 꿰뚫어 보고 아픈 사랑을
찾아낸다. 사물과 한 몸이 되어 한 편의 빛나는 시가 탄생한
것이다.

꽁꽁 언
땅을 뚫고
꿋꿋이 살아남아

보고픈
임 생각에
바람에 나부끼며

그리워
애태우다가
멍든 영혼 꽃 피다

사랑이
타오르니
언 땅도 질퍽하고

얼굴을
할퀴고 간
강풍도 견뎌내고

한번은
만나지려나
기도하며 꽃 핀다
- 시조 「바람꽃」 전문

　시조 「바람꽃」에서도 임을 향한 그리움과 만남을 꿈꾸는
기도가 꽃으로 피어난다. 내가 바람꽃이 되어 임을 기다리고
그리움으로 영혼의 꽃이 피는 것이다. 사랑이 타오르니 언 땅
도 녹고 강풍도 견뎌내는 것이다. 시인의 소망은 바람꽃처럼

임을 기다리면서 오늘도 기도한다.

넷째, 시인에게는 끊임없는 실험정신이 필요하다. 시조는 정형시로서 단시조가 시조의 본령이다. 시조를 통하여 시의 구성미와 간결미, 응축력을 습득하고 난 뒤 자유시를 쓰면 좋은 작품을 만들 수 있지 않을까? 생각해 본다.

시조는 우리 민족의 정서에 어울리는 운율을 갖고 있다. 현대 시조는 주로 3장 6구 12절 형식을 그대로 따르되 3장으로 끝나는 것보다는 연시조 형식을 애호한다. 옛시조의 문자적 표기 방법은 장에 따라 3행 또는 3부분으로 구별하는 것이었는데 현대 시조는 각 장의 구를 구별하여 6행으로 표기하는 경향이 있다. 이는 장 단위의 전개보다 구 단위의 전개를 강조한 것이다. "눈으로 보는 시"의 시대인 오늘날에 있어서 그것은 시각적 호소력을 높이는 방편이다. 시조의 1행은 운율의 한 단위를 암시하는 경향이 강하므로 6행 시조의 자연스러운 리듬의 단위는 구가 되기 쉽다. 이런 배열법, 즉 6구의 시조 형식이 현대시조의 대표적인 방법이다. 행의 배열법, 따라서 운율의 미세한 배열은 그 밖에도 여러 가지로 실험되고 있다. 그중 가장 많이 볼 수 있는 것이 종장을 3행으로 배열, 초장, 중장과 다른 리듬의 묘미를 획득하려는 시도이다. 이 기본리듬은 언어학자들의 용어를 빌리자면 한국 시의 리듬의 "심층 구조"를 이루고 있다.

고정숙 시인은 시조의 다양한 배열을 통해서 나름대로 새로운 실험을 하고 있다. 그 배움과 도전에 박수를 보낸다.

석양에 외로이 서서
노을빛 물들어가는

흰 몸집 애처롭게
어른거린 그림자

하루를 마감하면서
날아오른 백로야

오리들 무리 속에서
기죽지 않고 당당히

물고기 잡아먹고
기품있게 걷다가

갈대에 가끔 기대어
고단함을 달랜다
- 시조 「백로」 전문

　노년을 살아가는 자신의 인생에 대한 자아 성찰과 깊이 있는 사유는 작품의 수준을 올리는데 한몫하고 있다. 이 작품의 구조는 노년의 삶의 당당함과 기품 있는 멋으로 되어 있다.
　첫째 수는 하루의 당당한 삶의 모습을 그리고, 둘째 수는 삶의 고뇌 속에서 휴식 있는 삶으로 구성되어 있다. 독자의 폭넓은 공감을 불러내고 있다. 짧은 호흡 속에서 삶의 의미를 재조명한다. 치열하게 살아왔지만 희미한 흔적, 앞만 보고 살아온 우리들의 모습이 아닐까?

　긴 시간 길들어진
　습관 된 생활들이

코로나 습격으로
하나둘 깨어지고

오롯이
혼자 견디는
그리움이 빛 된다

뻐꾸기 슬피 우니
괜스레 울컥하고

여름이 되어가도
마스크 벗지 못해

고독한
마음의 행로
추억 길을 헤맨다
– 시조 「빛이 된 그리움」 전문

코로나로 인한 팬데믹 상황에서 그리움이 진하게 배어있는 부분이다. 오롯이 혼자 견디어내야 하는 아픔 속에서 그리움을 표현한다. "추억의 길을 헤맨다."에서 이미지의 선명성을 드러내고 있다. 생각을 확장 동원하여 그리움의 이미지 표현에 성공한 작품이다.

지금껏 고정숙 시인의 시조 100여 편의 작품을 정독했다.

그의 시조에 나타난 시조의 맛과 멋은 바로 물아일체의 삶에서 빚어낸 시심이라고 말하고 싶다.

들꽃은 앙증맞아

군락이 이뤄지면

예쁘게 어우러져
꽃구경하러 오죠

꺾으면
금방 시들어
눈으로만 보지요

들꽃과 경계 없이
자라난 잡초들은

다정히 공생하여
더불어 살아가니

들꽃과
하나 된 잡초
자연스레 꽃 피죠
 - 시조 「들꽃 속 잡초」 전문

　시인은 자신을 들꽃 속의 잡초로 표현한다. 다른 꽃들과 다정하게 공생하면서 더불어 살아가는 존재다. 모습은 다르지만 '들꽃'이라는 이웃과 하나가 되는 '잡초'는 마침내 꽃을 피우게 된다. 다시 말해서 자연 속의 미미한 존재이나 빛을 내는 존재로 성장하는 것이다.

　비가 온 계곡에는
　물들이 가득 차고

콸콸 콸 물소리는
심장을 뛰게 하며

세차게
내려오다가
숨 고르며 고인다

거품이 떨어지니
욕심도 떠나가고

산사는 물소리로
가득 차 소란하나

꽃피는
마음의 정원
잡초마저 예쁘다
- 시조 「산사의 물소리」 전문

산사에 물소리에 푹 빠져든 시인의 시심이 빛난다. 시원한
물소리에 심장이 뛰고 힘차게 살아온 삶 속에서 숨 고르는
쉼도 있다. 산사에 물소리에 취하다 보니 욕심도 사라진다.
마침내 그 물소리는 잡초는 꽃을 피운다. 그것도 마음의 정원
에 시라는 꽃을 피우는 것이다. 그 모습이 참으로 아름답다.

꽃 이름 알기 전까지
지칭개인지 몰랐다
수없이 피고 져도
잡초같이 보인다

보라꽃 시들고 나면
포자 되어 떠돈다

꽃잎은 따다 덖어서
그늘에 말려 두었다가

꽃차로 해독 해열
필요할 때 마신다

자연과 하나가 되는
삶의 지혜 배운다
- 시조 「지칭개꽃」 전문

잡초의 꽃 이름을 알 리는 없다. 우연히 그 이름을 알게 되고 그의 효능을 알아가면서 자연과 하나가 되는 물아일체의 삶, 더불어 사는 인생을 배워가는 것이다.

새벽녘 수련 잎에
이슬이 맺혀있다

밤사이 다녀가신
임 생각 머금고서

아쉬워 눈물방울이
또르르르 구른다

잉어들 떼를 지어
유유히 헤엄치고

수면에 반짝이는
파문 꽃 피어나니

환희의 행복의 빛이
온 누리에 비춘다
- 시조 「행복의 빛」 전문

어차피 인생은 만남과 헤어짐의 연속이다. 삶을 어떻게 바라보느냐에 따라서 그 삶의 모습은 각기 다르다. 결국은 시인은 긍정의 눈으로 행복을 바라봐야 하지 않을까?

이제 100세 시대가 빠른 속도로 우리에게 다가오고 있다. 우리 문학인들은 '이 시대를 맞아 무엇을 할 것인가?'라는 화두를 던지고 싶다. 좋은 작품을 위하여 자신을 가꾼다면 시대에 앞서가는 선두주사가 될 것이 분명하다. 따라서 지속적인 독서와 탐구를 통해서 자신을 깨닫고 세상을 아는 것이 무엇보다 중요하다.

문학인은 작품을 통해 삶의 방향을 제시한다. 작품 속에는 인간미 넘치는 따뜻한 정이 깃들어 있어야 한다. 끊임없는 창작을 통해 문학인의 잠재적 열정과 미를 마음껏 발휘해야 한다. 존재론적 자아 성찰로 한 편의 작품이 대중의 가슴에 닿아 오래도록 전해진다면 이 또한 보람된 일이 아닌가?

마지막 남은 삶의 끝자락에서 별빛처럼 영롱한 시로 창작의 기쁨을 만끽하길 기대한다.

끝으로 고정숙 시인의 시조 「나는 지금 어디에」를 감상하면서 글을 마무리하고자 한다. 깨닫는 삶, 아는 것으로 끝나지 말고 실천하는 삶이 아름답기 때문이다.

푸름이 짙은 숲속
우거진 잡초 무성

어둠마저 내려와
마음은 심란하다

모기가 침놓고 가니
나는 지금 어디에

아련한 추억마다
과거는 아름답다

허망한 세월 속에
잊혀간 시간 찾아

지금은 곧바로 실천
방향감각 찾겠지
– 시조 「나는 지금 어디에」 전문

다시 한번 고정숙 시인의 시조집 출간을 축하하면서 그의
시조 사랑의 열정과 헌신에 찬사를 보낸다. 아울러 건승과 건
강을 기원한다.

# 2. 자연과 나 그리고 행복 찾기

## - 국미나 두 번째 시집 『울적한 낭만』을 읽고

사람마다 추구하는 가치가 모두 다르겠지만 일반적으로 건강한 삶을 원하는 것은 아닐까?

장 자크 루소(Jean Jacques Rousseau 1712-1778)가 "자연으로 돌아가라"라고 말했다. 사람마다 아픔이 있고 건강을 잃으면 대부분 자연을 찾아서 휴양의 시간을 갖곤 한다. 내가 건강을 잃고 오랜 시간 헤매다 자연의 것을 찾아 자연의 순리대로 살아가는 삶을 살면 건강이 점차 회복되는가 보다.

루소의 철학은 '자연 상태에서 시작한다. 루소는 인간은 자연 상태에서 벗어나 사회 제도나 문화 속으로 들어가면 부자연스럽고 불행한 삶을 살게 된다는 것이다. 갓 태어난 아이들은 아주 순수하고 선하지만 자라면서 나쁜 생각을 배우거나

이기적으로 변하게 된다는 것이다. 그렇다면 사회와 문화가 아이를 망가뜨리는 것은 아닐까? 그래서 루소는 사회와 문화를 비판하며 다시 자연 상태를 되찾아야 한다고 주장한다.

그는 인간다운 삶을 위해 모두 "자연으로 돌아가라!"라고 외쳤다. 하지만 사람들은 문화가 없는 자연 상태는 야만이라고 말한다. 이에 대해 루소는 그것은 '고결한 야만'이라고 반박했다.

우리 곁에 '고결한 야만'의 삶을 사는 것은 물론 희망과 행복을 찾아서 '울적한 낭만'을 노래하는 시인이 있다. 자연을 통해서 나를 찾아가는 시인, 바로 국미나 시인이다.

국미나 시인과의 첫 만남은 어느 문학단체의 모임에서 글나눔을 통해서 만났다. 아마도 20여 년 전으로 기억한다. 글나눔을 좋아하는 시인으로 각자의 삶을 살다가 우연하게도 글벗문학회에서 다시 반가운 만남을 가졌다. 얼마 전에는 연천의 종자와시인박물관에서 열린 문학 행사에서 가을의 만남을 가졌다. 그의 열정적인 글쓰기가 눈에 선하다.

삶에는 누구나 리스크(Risk)가 있다. 다양한 인간에게는 다양한 패턴과 무늬가 있다. 그런 위기에서 지혜를 발휘해야 그 어려움을 극복하는 삶이 필요하다. 우리가 위기를 만나면 그 해결점을 찾기 위해 열어보아야 할 것들이 많이 있다. 어떤 이는 책을 통해서, 혹은 노래를 통해서, 그리고 다른 그 무엇을 찾아서 그 리스크를 해결하는 것 같다.

그러면 국미나 시인은 어떤 문향을 갖고 있을까? 그의 시집 『울적한 낭만』에서 만난 그의 시적 경향을 살펴보자.

첫째, 삶의 기쁨과 행복을 자연에서 찾고 있다는 점이다.

그 구체적인 방법이 자연과 내가 하나 되는 삶을 살고 있다는 사실이다. 바로 물심일여(物心一如)의 삶이다.

해가 뜨면 물까치 노랫소리
해가 지면 보랏빛 포도주 구름 한잔
울타리 밭 매콤한 남색 무꽃
흰나비 춤사위 사뿐사뿐
작은 개울가 버들치

햇살에 화들짝 놀라서 핀 야생화
초록빛 상수리나무 바람 불어올 때마다
철썩철썩 파도 소리
밤하늘 별과 달이 속삭이는 우주 카페
풍요로운 자연 다 모여 있는
유난히 소박한 산속
가장 흔한 오두막 시인의 집
 - 시 「흔한 산속 오두막 시인의 집」 전문

그가 사는 곳은 밤하늘과 별, 달과 대화를 나눌 수 있는 우주 카페다. 풍요로운 자연이 다 모여 이룬 산속이다. 혼자 사는 삶이 아니라 우주와 함께, 자연과 함께 사는 공존의 삶이다. 자연이 그의 친구요 그가 사는 환경은 바로 자연인 셈이다.

새들도 잠든 밤
초승달이 손을 내민다

가슴에 담긴 별들이
끝없이 가슴에 담긴다

어둠 속에서 산을 깨우는
물소리가 하늘에 닿고

말 없는 대화는 물속에 고여
새벽녘 이슬이 마를 때까지
내게 많은 이야기를 만들어내고 들려주었다

잎 떨어진 아카시아 나무
가시만 남고
아침 이슬 속에는
맑음이 남았다는 것을
– 시 「공존의 삶」 전문

시인은 꽃을 사랑하고 나무를 사랑하고 자연을 사랑한다.
자연을 가까이하고 가까워지면 질수록 그 순리를 이해하면
할수록 편안해졌다. 그렇게 자연을 통해서 내가 좋아지고 이
웃이 좋아지는 것이다. 그리고 마음의 상처도 자연으로 가면
서 치유가 된다. 숨쉬기가 수월해졌고 그래서 답답함이 줄어
든다. 현실적으로 숨쉬기가 편해지니 마음의 답답함도 내려놓
게 되는 셈이다. 그래서 자꾸 만나고 싶어지고 하나가 된다.
가면 갈수록 나에게 아름다운 것들을 보여주는 자연의 끝없
는 노력에 감동하면서 자연스럽게 그 감흥을 노래하게 되는
것이다.

매화꽃 향기 담 너머
겨우내 겹겹이 쌓아둔 시린 눈이 녹아
살점 떨어진 야윈 닭발 가지에

노란 병아리 꽃
봄눈이 터졌다

꽃눈 하나 눈에 넣어
푸른 물에 녹아
속살 드리운 봄빛 환한 웃음이
장승 귀에 입이 걸렸다
노랗게 익어만 가는 봄

바람 타고 오는 봄빛 향연
햇살 이보다 눈부실까
마을 이웃들 넘치는 정에
꽃망울 터진다

첫사랑 한 아름 꽃 추억의 눈물샘
바람에 노란 비 꽃으로 내려
꽃에 취해 봄빛에 빼앗긴 발걸음
길을 잃었다

씨줄과 날줄이 풀어지도록
봄을 풀어 노란 꽃물에 물들어
내가 살던 고향은 꽃 피는 산골
- 시 「산수유」 전문

나도 꽃처럼 나무처럼 살아야지, 이젠 잘살아보자. 우선 추위를 이겨내어 꽃눈을 틔워보자. 그렇게 봄과 대화하고 자연과 대화하면서 국미나 시인은 오늘 하루도 다시 시작하는 것이다.

특별히 날마다 꽃을 노래하고 사랑하는 삶을 표현한다. 꽃이라는 시어가 이번 시집에 92번 등장한다.

어여쁜 꽃은 아닌데
어딘지 모르게 촌티를 풀풀 내며
정을 뿌려댄다

뒤뜰 풀섶
어여쁘게 꽃을 피우고
씨방 익는 소리 톡톡
튕기며 자랑을 한다
뒤뜰에서 제일 잘 나가는 꽃
봉선화
- 시 「봉선화」 전문

자연과 내가 하나 되는 물아일체(物我一體)의 모습, 시인은
꽃이 되기도 하고 꽃을 탐미하는 나비가 되기도 한다. 물론
시적 자아의 주관적 상관물로 그 시적 의미를 더욱 돋보이게
하는 표현이리라. 자연과 내가 하나 되는 삶, 모진 겨울을 벗
어나 봄의 세계를 꿈꾸고 어둠을 밝힌 빛의 세상을 찾아 나
선다. 그가 꿈꾸는 사랑이자 행복의 세계다.

꽃잎이
창백한 봄바람을 타고
하얀 나비의 날개 위에 앉았다

왼쪽 날개엔 분홍 꽃잎을
오른쪽 날개엔 하얀 꽃잎을
나비는 아지랑이 따라

사뿐사뿐 날아오른다

바람의 흔들리는 끄나풀처럼
긴 꼬리 원을 그리며
봄 향기를 이끌고
세상에 환한 빛이 되어 가벼이 날아오른다

봄 나비의 가벼운 날갯짓처럼
하늘거리는 사랑이 되고 싶다

나비는 바쁘다.
보고 말하고 느끼고
봄의 세계를 만나 혼자서 바쁘다
- 시 「나비의 날갯짓을 보며」 전문

시인은 봄 나비의 가벼운 날갯짓처럼 하늘거리는 사랑이 되고 싶다고 말한다. 사랑은 바쁘다. 사랑하면 아침마다 떠오르는 해가 유난히 반짝이고 해마다 찾아오는 봄이 그립고, 바람이 다르게 느껴진다. 늘 보던 사물이 달라 보이고 곁에 있는 환경도 사람도 새롭게 보인다. 사랑은 때마다 기적을 일으키고 날마다 새로운 날을 맞이하게 한다. 시인은 나비가 되어 날고, 꽃이 되어 활짝 피기도 한다. 아마도 그것은 모든 대상을 본인과 동일시하는 사랑에서 기인된 것은 아닐까? 사랑하면 나이와 세월을 잊고 시대를 초월한다고 하지 않던가. 사랑은 시간을 거스르는 힘이 있다. 그래서 사랑은 바쁜 법이다. 봄이 되면 더욱 바쁘다.

분홍 진달래를 입고
아니 노란 개나리를 입고
연둣빛 버들을 입고 나무가 되어
춤을 출까나
그대와 나, 나비가 되어
봄의 왈츠를 추면 아름답겠네요

다정한 오후 햇살에 종일
봄을 그렸습니다
너무 몰입한 탓에
눈이 아리아리해졌습니다

이 봄
그대와 나
꽃향기 따라 왈츠를 추며
신명 나게 놀아보아요
고단으로 얼룩진 삶은
나비의 날갯짓처럼 가벼워질 거랍니다
- 시 「봄을 그리다」 전문

사랑은 행복이다. 춤을 추는 즐거움이요, 대상에 몰입하는
기쁨이기도 하다. 자연과 하나 되는 삶, 그래서 시가 탄생한
다. 그의 시에는 다양한 소재의 꽃들이 등장한다. 예를 들자
면, 봉선화, 목련화, 봄까치꽃, 매화꽃, 산수유, 구절초, 수박
풀꽃, 연꽃, 감꽃, 박꽃, 국화꽃, 아카시아, 배롱나무꽃, 무꽃,
살구꽃, 개나리, 진달래, 털별꽃아재비, 달맞이꽃, 유채꽃, 안
개꽃, 코스모스, 금잔화 등이 그것이다.

그렇다면 시인이 표현한 꽃은 어떤 의미를 담고 있을까?

먼저 봉선화는 촌티가 나지만 정을 뿌리는 꽃으로 제일 잘나가는 꽃이요. 목련화는 '봄이 주고 간 눈물'이라고 말한다. 봄까치꽃은 부지런한 꽃이요. 봄을 알리는 산수유도 등장한다. 그 꽃은 시인에게 바로 희망이요 사랑이다.

가을비 톡톡 소리를 내며
마음을 수천 번 두드립니다

구절초 뽀얀 얼굴
가을비에 젖어
물끄러미 마주합니다

착 가라앉은 마음
시린 향기 가득한데
구절초꽃 따뜻한 향기를
잔잔히 전해옵니다.

가을날의 마음은
외롭고 쓸쓸하다며
어리광만 부립니다
– 시 「아홉마디 향기」 전문

시인은 구절초를 따뜻한 향기로 표현한다. 그에게 등장하는 자연은 자유를 꿈꾸며 행복과 희망을 꿈꾸는 긍정의 모습을 보인다. 그 긍정의 모습이 시적 감흥으로 나타나 세상의 찌든 아픔과 고통을 가라앉히는 아름다운 존재로 표현된다. 마치 자신의 모습을 드러내는 듯하다.

시의 언어들 산바람에 춤을 추고
나뭇잎 흔들리는 소리
맑은 개울물 소리
걷는 발길에 묻어나는 세월
어느 것 하나 시어가 아닌 것이 없네

산 위 중턱 뿜어대는 허연 그리움
허공을 가로질러서 가을 햇살에 스미고
돌 틈 구절초 향기
세상에 찌든 눈동자 가라앉히고

나태해져만 가는 삶 바람에 날리고
어둠을 재촉했던 영월
까만 밤 달빛 별빛도 아름답네

흐르는 강 다시 거슬러 오를 순 없지만
꽃자리 진한 향기 또다시 피어나리
영원한 아름다움 묻어나는 영월
김병연 시인님의 삶을 기리며
나 구름 되어 바람 따라
산 고개 넘어 자유를 꿈꾸네
- 시 「발길에 묻어난 세월」 전문

시인은 참된 자유를 꿈꾼다. 세상의 그 무엇에도 얽매이지 않고 자신의 영혼으로 우뚝 서는 삶, 시를 창작하는 삶에서 진정한 자유를 찾고 있는 듯하다.

둘째로 국미나 시인은 시를 통해 사랑의 의미를 찾고 행복을 찾는 시인이다. 춥고 힘든 상황에서 봄을 꿈꾸고, 어두운 현실 속에서 별빛과 달빛을 꿈꾸는 삶을 살아간다. 그에게 봄은 시요, 그의 별빛도 또한 시인 것이다. 그는 기회가 있을 때마다 시를 사랑한다고 말한다. 그리고 시를 잘 쓰고 싶다고 고백한다.

어떤 대상을 깊이 사랑하면 그 사람이 나의 한 부분이 되는 것이다. 앞에서 언급한 것처럼, 자연을 사랑하는 삶, 곧 그의 시가 되고 사랑이 되는 것이다. 시를 깊이 사랑하기에 시를 읽고 시를 쓰는 일이 삶의 중요한 부분이 되고 있다. 시인은 시와 결코 떨어질 수 없다. 오롯이 시와 함께 살고, 시와 함께 성장하면서 같이 열매 맺는 충실한 삶을 살고 싶은 것이다. 그래서는 시인은 오늘도 고백한다. 시를 사랑한다고.


시詩와 연애를 하고
시詩와 밥을 먹고
시詩와 함께 걷고
시詩와 영화를 감상하고
시詩와 대화를 나누며
시詩와 함께 생을 보냅니다

시詩가 토라져 발길이 없고 무소식인 날엔
우울하고 기다렸다며 끌어안고 토닥입니다
나의 영원한 사랑은 시詩
그 시詩를 평생 지켜주기 위해 밤과 낮을 잊고 기도를 하며
지켜주고 아껴주는 마음이 시詩에게 전달되길 소망합니다

시詩와 나만의 사랑
시詩와 함께하는 시간만큼 제게 행복한 시간은 없습니다
시詩와 함께 평생 죽음을 맞이할 것이며
무덤까지 함께 할 것입니다

시詩라는 당신은 늘 나를 새롭게 하고
시詩라는 당신은 나를 위대하게 했으며
시詩라는 당신은 나를 아주 멋진 곳에 데려다 놓습니다
시詩라는 당신 영원히 사랑합니다
- 시 「시와 나」 전문


  시인은 시 「시詩와 나」를 통해서 시가 나를 새롭게 하고
나를 위대하게 한다고 믿는다. 더욱이 나를 아주 멋진 곳으로
안내하는 빛이라고 믿는다. 시가 바로 그의 영원한 사랑인 셈
이다. 시와 함께 하는 시간만큼 행복한 시간이 없다고 말한
다. 그에게 봄은 시요, 그에게 빛은 바로 시다.
  그런 의미에서 시는 사랑하는 마음으로 써야 한다. 자신의
삶을 아끼고 자연을 사랑하는 마음으로 글을 쓴다. 그렇게 해
야 좋은 시, 훌륭한 시를 쓸 수 있는 것이다.
  시인은 시를 사랑하기에 오늘도 어여쁜 꽃을 심는다. 그림
도 그린다. 청춘이라는 싱그러운 이름으로, 꿈꾸는 존재로 시
는 그대에게 달려간다.


사랑한다는 것은
그대 가슴에 나의 사랑이 먼저 도착하여
그대 텅 빈 뜰에 어여쁜 꽃을 심어 놓는 것

그대 척박한 황무지를 꿈꾸는 마음에
원 없이 다가가 아름다운 그림도 그려주고
그대 메말라 쩍쩍 갈라지는 가슴에
청춘이라는 싱그러움을 안겨주고
단비를 뿌려주는 것

나의 사랑은 갑니다. 그대에게로
나의 사랑을 받아주세요
팻말을 가슴에 달고
드넓은 광야를 혼자가 아닌
둘이서 발자국 남기며 걷는 것

사랑이란 마음을 도둑맞고
몸은 단단한 밧줄로 묶여서
포로가 되어 함께 걷는 것
- 시 「나의 사랑은 갑니다」 전문

더욱이 시인은 시와 함께 걷고 시에 몰입하여 함께 걷고
함께 살아가고 싶은 것이다. 그런데 그 삶에는 반드시 자연과
함께 살아가는 삶인 것이다.

앞에서 언급했듯이 시인은 무에서 유를 창조한다. 자연의
아름다움을 마음으로 그리다 보면 그것이 힘이 되곤 한다. 시
는 결국 세상을 아름답게 살아가는 힘의 주파수요 시간을 함
께 누리는 행복이다.

당신 마음속에 울리는
사랑을 갖고 싶습니다
사랑받기에 바쁘고 즐거워하며
외로운 모든 이들에게
부러움을 사고 싶습니다

당신 마음속에서 전하는
주파수와 시간을 나누고 싶습니다

어쩌면 느껴지지 않는
사랑일 수도 있지만
그 사랑 속에 얼굴을 묻고
행복해하고 싶습니다

고요와 적막함이 흐르는 전율 사이로
외로움이라는 추가 까딱일 때마다
달빛과 별빛이 스며들고

어쩌면 그대와 나는
이 세상에 존재하지도 않을 사랑이고
그리움일지도 모릅니다
아무것도 없는 무無일 수도 있습니다
- 시 「무無」 전문

우리 인생은 무언가를 어디선가 끊임없이 공급받아야 한다. 어려움에 닥치면 견디는 힘을 공급받는다. 희망을 잃었을 때 용기를 얻을 수 있어야 하고 낙심할 때 희망을 만날 수 있어야 한다. 바로 그중에 하나는 자연의 아름다움을 마음으로 보는 것이고 책을 읽으면서 글로 쓰는 행복이다.

삶이 아름다운 이유는 아프고 힘들 때 서로를 위로하고 격려하면서 어떻게 살아가는가를 알려주는 것이 아닐까? 어쩌면 우리는 독서와 글쓰기에서 그 답을 찾고 있는 것은 아닌지. 영국의 소설가 윌리엄 서머셋 모옴(William Somerset Maugham)의 말이 생각난다.

"책 읽는 습관을 기르는 것은 인생의 모든 불행으로부터 스스로를 지킬 피난처를 만드는 것이다."

책방에 다녀왔습니다
소소한 행복이 잦는 곳
마음은 어느새 봄볕이 내려앉아
찾는 이 없는 책방 안
빛바랜 책 안에도 봄이 쌓여갑니다

책방 주인이 되어
겹겹이 쌓아놓은 책을 뒤적이며
봄노래를 흥얼거립니다
소소한 행복이 모여
마음은 어느새 봄입니다

바람을 이기는 나무들처럼
나 또한 잘 견디며 책과 함께
어느새 나는 나답게
살아가고 있습니다
- 시 「책과 나」 전문

시인에게 책 읽기는 봄이다. 추운 겨울을 이겨내는 나무처럼 견디면서 책 읽기 속에서 행복을 찾고 있다. 짧고 강하게 사랑하기보다는 오래 사랑함이 삶에 큰 도움이 되듯이 포도주처럼, 혹은 책 읽기처럼, 시를 쓰는 기쁨처럼 오래도록 견디면서 익어가야 하는 법이다. 책 읽기와 시 쓰기는 시간이 지날수록, 그 감동과 깨달음이 깊고 진한 맛이 우러나기 때문이리라.

나 오늘 몹시 외로워 기도했다
인생 외롭지 않은 사람 어디 있겠냐

나 오늘 힘들어 기도했다
인생 힘들지 않은 사람 어디 있겠냐

나 오늘 기도했다
인생 슬프고 아픈 마음 가져가 달라고
인생 슬프고 아프지 않은 사람 어디 있겠냐

나 오늘 몹시 기뻐 기도했다
인생에서 가장 행복하고 가장 기뻐하는
사람 평생 되게 해달라고

나 오늘 기도했다
인생 살면서 감사하는 마음
내 곁에서 떠나지 말게 해달라고

나 오늘 기도했다
인생 살면서 나 자신이 누구든
돕고 살 수 있게 해달라고

나 오늘 기도했다
시인이니
시상(詩想)이 떠나지 않게 해달라고

나 오늘 기도했다
나의 기도가 살아 숨 쉬는 날까지
항상 이루어질 수 있도록 해달라고
- 시 「나 오늘 기도했다」 전문

시인의 오늘도 시를 쓰면서 기도한다. 어쩌면 시인의 기도는 시 쓰기임은 분명하다. 국미나 시인은 오늘도 기도한다. 시상이 떠나지 않게 그리고 살아 숨 쉬는 날까지 자신의 사명을 이룰 수 있게 해달라고, 자신을 위해, 그리고 이웃을 위해 오늘도 기도한다.

사랑이 있는 곳에 절대자, 신은 함께 한다. 그래서 이웃을 사랑하고 자연을 사랑하면 기쁨이 있고 평화가 있다. 우리가 서로 사랑하면 어떤 고통이 밀려와도 이겨낼 수 있기 때문이다. 그래서 시인은 오늘도 외롭고 힘들어서 기도의 시를 쓴다. 오늘이 있기에 기쁨으로, 감사하며 기도한다. 이웃이든 자연이든 돕고 살게 해달라고 기도한다. 이것이 시인의 사명이다. 내가 좋아하는 글을 쓰고 이웃과 함께 사랑을 나누는 삶, 유익한 일이 있다면 언제나 함께한다.

밤하늘에 무수히 많은 별이 뜬다
어쩌면 별빛을 보면
그리운 사람들이 하나둘
반짝이는 것 같아 마음이 행복해진다

마음이 별길 따라 걷던 밤
별빛 물결 사이로
그리운 얼굴 출렁인다

아름다운 별빛이 흐르는 밤
그리움을 찾아 떠나는 여정
별의별 기쁨이로세
– 시 「별이 뜬다」 전문

아무리 깊고 혹독한 추위라도 해도 희망의 봄이 오듯이 어두운 밤이라 해도 어디에선가 빛이 다가오고 있다. 봄도 새벽도 홀연히 찾아온다. 아무리 사납고 힘겨운 고통이 다가와도 마음 어딘가에 희망이 싹트는 것이다.

가던 길 멈춰 선 그곳에서
은근한 슬픔과 서러움이
파도처럼 철썩거린다
푸른 파도가 출렁이는 망망대해를
허우적거리는 마음

부서지는 파도와 함께
갈라지는 소식을 들어서였을까
아무런 말도 위로가 되지 않는
그런 나날들

쉽게 끝나지 않을 머나먼 길
여정을 떠나는 삶
살아가기 위한 삶이 위대하다 싶다가도
모래성처럼 허물어지는 삶도 있기에
희망이라는 보따리를 찾아 헤매는
생生일지도 모르겠다
- 시 「망망대해(茫茫大海)」 전문

인생은 망망대해다. 철썩거리고 부서지는 파도와 함께 긴 여정을 떠나는 삶 속에서 희망을 찾아 나선다.

그 희망은 어쩌면 그에게 봄이요. 빛이요. 그리고 사소한 위대함이다. 아무리 작아도 결국에는 우리의 인생을 변화시키기 때문이다.

이제 국미나 시집을 읽은 소감을 마무리하고자 한다. 그가 우리에게 전해주는 메시지는 아주 크게 얘기하면, 어떻게 삶을 살아갈 것인가. 그리고 어떻게 사랑할 것인가를 알려주는 것은 아닐까?

자연을 사랑하고, 꽃처럼 봄처럼 희망을 찾아서 살아가는 삶, 그리고 독서를 통해서 그리고 시를 그리기 위해 빛을 찾아 나서는 것이다. 국미나 시인은 오늘도 자연을 만나고 희망을 쓰고 사랑으로 시를 적고 있다. 그가 '작가의 말'에서 언급한 것처럼 이리저리 바람처럼 쏘다니면서 언어를 줍고, 파란 가을 짙은 안개의 가려져 있던 길이 선명하게 보이기를 소망한다. 어쩌면 시인에게는 시집을 내는 행운이 제일 행복한 순간이리라. 계속해시 겸손한 마음으로 자연을 만나고 열심히 시를 그리기를 응원한다. 그리고 그의 건강과 건승을 기원하면서 그의 문운이 활짝 열리길 빈다.

# 3. 자연 친화를 탐구한 생명 존중의 시심

- 신순희 시집 『풍경이 있는 자리』를 읽고

  모든 일에 시작이 있는 것이지요. 살아온 삶이 지푸라기 같
은 재료였다면 글을 쓴다는 것은 엮어서 단정하게 깔아 놓은
멍석 같은 게 아닐까. (중략) 한 세대를 살아가는 삶의 동행
자들에게 들꽃을 바라보듯 쉬어가는 쉼터나 잠시 숨 고르기
를 할 수 있는 여유가 될 수 있기를 감히 바라봅니다.
  - 서문「작가의 말」 중에서

  신순희 시인의 첫 시집 『풍경이 있는 자리』에는 총 117
편(시조 20편 포함)이 실려 있다. 그의 시적 경향을 분석하
기 위해 면밀하게 살펴본바, 무엇보다도 시에 담긴 자연 친화
적인 삶의 태도와 생명 존중의 세계관이 나의 눈길을 끌었다.
  우리 선인들의 업적 중에 자랑스러운 일을 손꼽으라면 나

는 '문학을 통해서 바로 자연을 노래한 시'라고 주저하지 않고 말하리라. 시를 통해서 자연을 노래하고 자연과 나를 하나로 여기는 물아일체의 사상, 그리고 자연 친화적인 세계관이야말로 우리 문학의 시적 경향을 분석하는 중요한 핵심이다.

우리나라의 건국 신화와 설화에는 자연 친화와 생명존중 정신이 고스란히 담겨있다. 대표적인 것으로 단군신화다. 환인의 아들인 환웅이 지상 세계로 내려왔다는 이야기는 인간 세상과 자연에 대한 우리 민족의 친화 의식을 잘 보여주는 대표적인 예다. 우리나라 아름다운 금수강산(錦繡江山)으로 보는 인식도 이러한 생각이 투영된 것이다.

이러한 자연 친화 의식은 자연 속에 함께 살아가는 생명체에 대한 이해와 존중으로 이어지고 있다. 우리의 전통 설화에는 동물들은 인간과 갈등하거나 투쟁하는 존재가 아닌 인간과 함께 어울려 살아가는 생명 공동체의 일원으로 묘사되고 있다. 결단코 투쟁의 대상이 아니었다.

한마디로 인간과 자연은 만물의 조화를 이루는 존재다. 그 때문에 인간은 만물을 더불어 사는 존재로서 사랑해야 한다는 의미일 것이다. 이는 물아일체(物我一體), 물심일여(物心一如)의 사상과도 관련 있다.

입추가 지나고 여기저기서
귀뚜라미 소리가 들린다
그들은 어둠을 노래하며 보낸다

밤더위가 제법 누그러진
깊은 밤에

이슬과 함께 내려오는
마음의 소리를 듣는다

그들처럼 어둠을 노래할 수 있는지
삶의 어려운 순간을
노래할 수 있는지
밤이 새벽에 이르기까지
즐거운 마음으로 버틸 수 있는지를

지하철노선 2호선처럼
순환하고 있는 사계절 속에
한낱 풀벌레들도 철 따라
순응하는데
중년을 가득 채워가는 이 몸은

귀뚜라미에게 묻는다
잘 숙성하고 있는지
 - 시 「나도 너처럼」 전문

　시 「나도 너처럼」에서 보는 것과 같이 시인은 자연물과
대화를 통해서 마음의 소리를 듣는다. 풀벌레들처럼 자연에
순응하면서 사는 자연 친화적인 삶을 통해서 자신에게도 묻
는다. 자신이 스스로 숙성하고 있는지를 묻는 것이다. 이것이
야말로 자연과 내가 동일한 인격으로 자연과 대화하는 자연
친화적인 삶의 정수가 아닐까?
　신순희 시인의 다른 작품을 분석해 보면 자연 친화와 생명
존중의 세계관을 쉽사리 만날 수 있다.

바위틈을 비집고 나와
꾸불꾸불 버텨온 세월
젖줄에 뿌리를 내리면서
나의 태초는 시작되었다

세상에서 가장
안전한 반석에 던져진 몸
생명이 싹트는 신비가 시작되는 그날부터
모질게 괴롭히며 따끔따끔 키가 자랐다

바위를 품었던 두 손
하늘을 향해 펼치고
폭풍 속 모진 고난
어려움 이기며 우뚝 설 수 있는 것은

바람이 되어버린
어머니 품에
지금도
깊숙이 뿌리박고 있기 때문
－ 시 「소나무」 전문

　소나무를 통해 작가가 추구하는 것은 고난과 아픔 속에서
크는 지조가 있는 삶이 아닐까. 다시 말해서 소나무는 기본적
으로 소나무가 가지고 있는 상록수로서의 특성 때문에 영원
과 불변, 그리고 이를 바탕으로 하는 절개와 지조가 빛난다.
시 작품에서 물아일체의 대상으로 인식되어 한적한 전원생활,
속세를 떠난 은일 생활에서 외로움을 극복하고 모든 고통을
극복한 존재로 나타난다. 그리고 소나무 단독 소재 유형은 작

품에서 소나무라는 특정 자연물이 작가에게 관념화된 대상으로 인식된다. 이 경우 소나무는 상록수라는 특성 때문에 고난을 극복한 존재가 된다.

따라서 소나무가 단독적으로 작품의 소재로 사용되는 유형이 자주 등장한다. 소나무의 의미가 우리가 추구하는 절개와 지조, 영원과 불변의 존재로서 꿋꿋이 살아가는 인생을 대변하는 것이 아니겠는가.

이것은 소나무가 존재하는 공간과 매우 밀접하게 연결되는 데서 기인한다. 왜냐하면, 소나무가 있는 공간은 곧 바위틈을 극복하고 모든 풍상을 극복한 꿋꿋하고 강인한 존재로 각인되기 때문이다.

따라서 특정 자연물이 단독적으로 작품의 소재로 사용되게 되면 그 자연물의 개별적 특성을 바탕으로 자연물은 도의의 대상으로 그 의미가 부여된다. 특정 자연물과 관련된 대상이 작품의 소재로 사용되게 되면 그 자연물이 있는 공간에 대한 인식을 바탕으로 물아일체의 대상으로 의미가 부여된다고 할 수 있다.

한 시인의 작품세계를 이해하기 위해서는 그의 전 작품을 평면상에 늘어놓고 살펴볼 필요가 있다. 그러면 우리는 두 가지 면에서 그 변모양상을 발견하게 된다.

첫째는 자연에 대한 관조적인 시다. 동양사상 가운데 자연을 주로 다룬 사상으로는 노장철학(老莊哲學)을 흔히 꼽는다. 인간 최고의 선은 천도(天道), 즉 자연의 법칙을 따르는 것이라고 했다(人法地 地法天 天法道 道法自然. 老子 道德經 二十五章). 그리고 동양인의 생활 태도 또한 자연과 조화를 이루고 그에 순응하며 살아가는 것이다. 결론적으로 인위(人爲)를 배제한 무위자연과 물아일체의 삶을 최고의 이상으로 삼았다.

> 가을 향기에
> 공허함을 채우러
> 떠났다
>
> 온갖 나무들이
> 산뜻한 얼굴로
> 빈 하늘을 채우고
> 있었다
>
> 난, 나무 한 그루
> 바라보며
> 마음을 채우고
> 있었다
> – 시 「둘레길」 전문

가을의 쓸쓸함과 공허한 마음을 채우러 가을 길을 떠났을 때 온갖 나무들이 하늘을 채우듯이 시적 화자는 나무 한 그루를 바라보면서 마음을 채우고 있다고 했다. 인생에서의 욕심은 모두 채울 수가 없다. 그 어떤 것으로도 채울 수 없다. 오롯이 나무는 자연으로서 존재하고 나도 역시 나무를 바라보는 존재로서 서로에게 위안이 되고 힘이 되는 존재일 뿐이다.

이는 무위(無爲)와 무욕(無慾), 무지(無智)를 수기(修己)라는 덕목으로 수행함으로써만 가능한 일이다. 자연은 인위에 의해 더럽혀질 수는 없다. 또 더럽혀져서도 안 되는 것이다. 자연은 순진무구(純眞無垢)한 상태로 존재해야 함과 동시에 영원한 생명의 원천으로 인식한 것이다. 이것이 자연에 대한 우리의 전통적인 관념이다.

　자주 띄는 모습에
　눈길 따라가는 길
　언덕 위로 올라서면
　얼어붙은 발목을 누른 채
　그대 아름다움 속으로 스며든다

　개구리 폴짝 뛰어들면
　호수에 잔잔한 나이테 생기듯
　찬바람이 스칠 때마다
　더 가까이 아른거리는
　그대 모습 깊이 쌓아간다
　언제부터일까
　넓기만 한 바다보다 믿음직하고
　개성이 뚜렷한 성격,
　모나면 모난 대로
　붉으면 붉은 대로 풍기는
　그대 내음

　어느새 그대에게 물들어간다
　- 시 「단풍」 전문

　자연은 무한한 생명력과 신비로운 조화의 힘을 지니고 있다. 따라서 자연의 한 부분 또는 어떠한 변화의 양상까지도 반드시 자연의 생명력과 그 법칙에 연관되어 있다. 자연의 이치나 자연의 아름다움이 시적 대상이 되고, 시 정신에 수용된 것은 오랜 역사를 지니고 있다.

둘째는 공동체로서의 만물과 평등의식을 말한다. 도가에서 물아일체 사상은 『장자』의 '제물론(齊物論)'편에서 주로 다룬다. 제물론의 주제는 우리가 우리의 실존적 한계성을 초월하여 궁극적으로 변해야 한다는 것이다. 우리가 사는 이 대립의 세계에서 대립을 초월한 '하나'의 세계, 실재(實在)의 세계를 꿰뚫어 보아야 한다는 의미다. 이 말은 사물의 한쪽만 보는 우리의 상식적, 분석적, 이분법적 사고의 틀에서 벗어나야 한다는 의미를 말한다. 더 높은 차원에서 사물의 진상을 전체적으로 볼 수 있는 예지와 직관력, 그리고 통찰을 체득해야 한다는 말이다.

다음의 시를 감상해 보자.


햇살이 곱게 부서지는
한여름 바다 위에
미끄러지듯 드러누웠다

작은 파도에
여유로운 뱃길이 열리고

방향을 돌릴 때마다 모두
나의 길이 되었다

너의 마음 너무 넓어서
나를 가로막지 않았고

나는 그런 네가 좋아서
마음껏 달려간다
- 시 「너와 나」 전문

언제나 열려 있는 바다가 있고, 파도가 일구는 뱃길은 바로
나의 길이며 열려 있는 길이다. 누구도 막지 못하는 인생길이
다. 여기서 바닷길과 인생길은 동일시하는 길이 아닐까.
자연 속에 있는 것들은 큰 것이나 작은 것이나 다들 나름
대로 존재가치를 가지고 평등하게 존재한다.


칼바람이
능선을
그어 놓고 지나가니

온갖 고엽들이
사방으로 뒹굴다가
얼굴을 맞대고
눈망울도 맞추고
속닥이고 있다

한때는 오색빛 뽐내며
찾는 이들의 사랑을
한 몸에 받았는데

이토록 짓궂게
내동댕이치다니

하얀 눈이 달려와

쓰다듬으며
포근한 위로를 한다
– 시 「겨울 산속에서」 전문

위 시에서 떨어진 낙엽을 하얀 눈이 달려와 쓰다듬으며 포근한 위로를 한다. 시인은 모든 가치의 판단을 인공(人工)의 기준이 아닌 자연이 기준이 되고 그 척도가 됨을 강조하고 있다. 어느 하나 소중하지 않은 것이 없다는 생명존중의 사상이 지배적이라 할 수 있다.

생명의 현상을 바라본다면 만물은 모두 소중하다. 온 우주 만물을 하나의 유기적 생명체로 파악하는 것, 이것이 도의 입장에서 만물을 바라보는 것이리라. 도의 입장에서 바라본다면 우주 만물은 모두가 평등하다. 떨어지는 낙엽도 소중하고 하얀 눈이 달려와 쓰다듬으며 따뜻한 위로를 보내는 것, 역시 당연하다. 자연은 더불어 살아가는 존재이기 때문이다.

이와 같은 상황은 또 다른 시 「해바라기」에서도 만날 수 있다. 더불어 살아가는 자연의 아름다움과 공존 공생의 도를 일깨워준다.

구릿빛 너의 얼굴
등 뒤로 맞이한 적 한 번도 없다
야속함으로
고개를 떨구었을망정

커다란 키로 언제든
잡초를 지켜야 하는 일
그늘이 얼마나 그립던지

한여름 뙤약볕 사이로
샛노랗게 질린 한숨
길게 흙 뿌리에 묻었다

이듬해
나팔꽃이 내 맘에
붕대를 감아줄지
– 시 「해바라기」 전문

위 시에서 해바라기도, 잡초도, 그늘도, 뙤약볕과 흙 뿌리,
나팔꽃도 모두 다 형제다. 여기에도 물아일체, 만물 평등관이
잘 드러나 있다. 모두 다 다 소중한 존재다. 마침내 아픈 내
맘에 나팔꽃이 붕대를 감아주는 것으로 공존 공생의 자연을
깨닫게 된다.

산은 밤새
안개를 뚫고 등고선을
만들었다

바람의 꽃과 이슬의 빛을
오르내리며
한 움큼 옆구리에 불룩
야생화를 따 넣고 향기를
기다리고 있다

아주 작은 물방울에 가려진
모호한 마음
멀리 실눈 비비고 서서히
아침 햇살이 비취는 것을

기다리는 걸까

김처럼 뿌옇게 떠 있는
어느 그리움을
기다리는 동안
새벽 공기가 무릎에 살며시 눕는다
- 시 「운해에 비낀 미소」 전문

이와 같은 자연 친화와 생명존중은 고려시대의 문인 이규
보(李奎報 1168-1241)가 쓴 「슬견설蝨犬說」에 잘 드러난다.
유불도儒佛道 삼교三敎에서 제중의 무차별성을 아울러 갈파한
대표적인 글이다. 이 글에서 '개'와 '이'라는 생명의 있음 자
체가 판단의 기준이다. 대소불이(大小不異, 크고 작은 것에
따라 달라지지 않는다)의 사유이다. 이처럼 자연 친화와 생명
존중의 전통은 이규보의 만물 평등론과 직결된다. 생명현상의
근원적 동일성 강조(슬견설)한다. 그뿐인가. 불교의 생명존중
사상은 살아 있는 존재에 대한 비폭력을 강조한다(숫타니파
타). 다시 말해 '인간중심주의'가 아니라 '생태 평등주의'라는
것이다. '정복의 문화'가 아니라 '공생의 문화'라는 관점이다.
생명이 있는 모든 존재에 대한 평등을 전제로 하는 비폭력을
강조하고 있다.

한해의 절반을 훌쩍 지나
가슴이 탁 트이는 바닷가
언덕 위에 걸쳐진 일몰은
새로운 기회를 약속하는
듯하다

시대는 물결 속에
몽돌처럼 굴러
개인주의 생활로 부지런한 삶
부모도 아이들도 바쁘고
서로를 돌아보기조차 무심한 시간 속에
휴가를 통해
가족 공동체를 견고히 세울 수 있기를

자연과 한 몸 이루는 시간을 누리는 여유
올해는 계곡의 일급수 가재가 삼켰던
물 한 모금 마실 수 있기를

샛노란 루드베키아 꽃잎
밤색 꽃술을 꼭 붙잡고 있듯
보이지 않는 유기체에
흡수되기를
 - 시 「팔월의 꽃 루드베키아」 전문


　자연과 한 몸 이루는 시간을 누리는 여유, 깨끗한 물 한 모
금을 마시는 그 행복은 보이지 않는다. 다만 유기체에 흡수되
기를 소망하고 있다. 지구 전체를 하나의 살아 있는 유기체로
보는 것은 동양적 자연관이다.
　지금까지 신순희 시인의 시집 『풍경이 있는 자리』에 나
타난 시 작품을 분석해 보았다.
　한마디로 인간을 포함한 자연을 하나의 살아 있는 생명체
로 보는 동양적 자연관에 근원을 두고 자연친화적인 시심을
드러내고 있다. 그의 시심에 담긴 자연 친화는 생명에 대한
존중은 물론 자신을 성장시키는 중요한 핵심으로 자연 속의

나, 생명을 가진 존재로서의 나를 표현하고 있다.

끝으로 단풍을 통한 생명의 의미를 담은 시 「이별」을 통해 생명의 가치를 다시금 살펴보고자 한다.

아직 단풍이 / 들기 전에
작은 나뭇잎 하나
붉게 물들어
대자연 위로 떨어졌다

모태로부터
탯줄 끊고 이어온 삶
또 다른 생명을 잇고
한평생 이마에 주름 속
사연을 남기고 그렇게 갔다

가슴에 커다란
구멍 하나 남기고 갔다

부디 / 바람이 되어
고통 없는 곳에서
자유롭기를 기도한다
– 시 「이별」 전문

시인은 시를 통해 모든 생명은 대자연의 일부로 파악한다. 그리고 또 다른 생명을 잇는 존재로 인식한다. 시인도 이처럼 바로 독자의 가슴에 커다란 희망 하나를 남기는 자유롭고 행복한 영혼이 되길 소망한다.

다시금 신순희 시인의 건승과 건필을 기원한다.

# 3. 자연에서 배운 사랑과 행복의 힘

## — 송미옥 시집 『자연을 담다』를 읽고

시는 장황한 설명이 필요하지 않다. 인생의 깊은 체험에 의한, 내면에서 치솟는 멋진 가락의 시심 있을 뿐이다. 고차원적이고 오묘한 세계로 펼쳐진다.

이미 오래전부터 우리 선인들은 일정한 자연 속에 존재하는 그 자연미를 시상에 담아왔다.

송미옥 시인은 현재 제주도에서 활동하는 시인이다. 자연을 소재로 하여 다양한 시적 감수성을 활용하여 시를 쓰고 있다. '책갈피 풍경'이라는 북카페를 운영하면서 제주도의 아름다운 자연을 노래하는 것은 물론 음악을 사랑하고 책 읽기를 즐겨한다. 그리고 매일 매일 한 편의 시를 쓰며 나누는 삶을 살아가고 있다.

　이번에 첫 시집 『자연을 담다』를 발간하게 되었다. 이에 그가 쓴 100편의 시 작품을 탐독할 수 있었다. 그의 시에 담은 세계는 어떤 모습일까? 그의 작품을 살펴보자.


　　사랑의 눈빛이
　　머무는 산 정상을 오를 때
　　숨이 차고
　　버겁지만
　　내려오는 길은 수월하다


　　늘 참아야 했고
　　사랑해야 했다


　　처음에는 힘들고
　　어려웠지만


　　이제는 강물처럼 흐르고 흘러
　　바다쯤인가 싶습니다


　　모두가
　　나를 찾기까지의 과정이었습니다


　　그런 과정이 없었더라면
　　지금의 축복
　　알 턱이 없었겠지요
　　- 시 「사랑(1)」 전문


시인은 사랑을 자연인 산과 강물, 바다라는 소재에 빗대어 표현한다. 사랑은 산에 오를 때의 마음처럼 힘들고 벅차다. 하지만 인내가 필요하다고 말한다. 또한 사랑은 강물이 흘러 바다로 가는 과정이라고 비유하면서 축복을 경험하는 과정이라고 말한다. 다시 말해 나를 찾은 과정이라는 것이다. 사랑을 자연에 빗대어 고통을 이겨내면 축복의 삶이 있다는 기독교적 관점이 여실히 드러나고 있다. 그도 역시 신앙을 가진 시인이다.

자연의 손길은 창조의 손길이다. 아울러 노력의 손길이고 인내의 손길이다.

수줍음이 많은 그녀
한낮에는 부끄러워
꽃잎을 살짝 오므리고

해가 뉘엿뉘엿 질 무렵
연지곤지 색조 화장
곱게 바르고

어여쁘다고 뽐내며
얼굴을 내민다

다양한 꽃잎
팔색조 매력을 지닌 그녀

까만 씨앗을 만드는
동안 꽃잎 여닫으며
얼마나 아플까

어둑한 밤
화사하게 꽃등 밝히고
초롱초롱 웃는다
– 시 「분꽃」 전문

분꽃을 팔색조 매력을 지닌 여인에 비유하고 있다. 아픔을
이겨내고 어둑한 밤에 피어난 분꽃이 초롱초롱 웃는 모습을
표현했다. 다시금 기독교적 사랑과 함께 인고의 삶이 아름다
움을 밝히고 있다.

　자연은 공평하고 정직하다. 아울러 자연은 거짓말을 하지
않는다. 그 때문에 온 세상을 하나로 만든다. 조금도 가식이
없다. 어떤 불평도 말하지 않는다.

　자연은 침묵 속에서 끊임없이 꽃을 피우고 자란다. 열매를
맺으므로 자신을 늘 새롭게 한다. 자연의 이러한 특성 앞에서
시인은 자연을 배우자고 말한다.

아침 공기는
상큼 발랄하다

살랑살랑 스치는
바람결에 가을 향기가
묻어난다

아침 숲길을 걸으면
녹음 짙은 신록을 만난다
아침 햇살을 받으며
반짝반짝 빛난다

태양은
여름 열기를 가득 품고서
나뭇잎 사이로 스며든다

숲길 가득
풀 향기 나뭇잎 향기가
그윽하다

가을이 오는 길목이다
예쁜 단풍잎처럼
가을,
고운 빛깔로 물들고 싶다
- 시 「숲길을 걸으며(1)」 전문

　자연은 우아하다. 작으나 크나 거칠거나 약하지 않다. 모두
우아하다. 꽃은 꽃대로, 나무는 나무대로, 산은 산대로, 숲은
숲이 지닌 그대로, 자신만의 독특함과 분위기가 있다. 자연은
무언가를 자꾸만 감추거나 과장하지 않는다.
　시인은 계속해서 자연을 닮아가고 싶다고 말한다. 말 그대
로 시인은 자신만의 시상을 자연스럽게 드러낸다. 자연스러움
그 자체에서 우러나는 품위와 우아함이 있음을 깨닫고 있다.

온몸이
하나의 감각 기관이 되어
모공마다
환희를 빨아들이는 듯하다

순수한 자연과

교감하는 선물 같은 시간

자연의 숨소리가
남아있는 곳

사람들의 발길이
많이 닿지 않는 곳이라서인지

자연 그대로의
생생함을 느낄 수 있다

자연이 그려놓은
건강한 숲

푸른 자연은 언제나 옳다
- 시 「곶자왈 숲길」 중에서

시인은 자연과 교감하는 시간을 갖는다. 그 모든 온기와 생생함을 온몸으로 생생하게 느끼고 체험하고 있다.
시인은 자연에게 친구라고 말한다. 자연도 우리에게 친구라고 말한다. 때로는 자연이 내가 되고 내가 또 자연이 되곤 한다. 물아일체의 경지다. 이것이 이 세상을 살아가는 힘이다.

그녀가 웃는다
혹시 저 기다렸어요?

긴 겨울잠에서 깨어나
나뭇가지마다

꽃망울 터트리는 그녀

매화는
온갖 꽃이 피기도 전에
제일 먼저
수줍게 봄소식을 알린다

고고하고
그윽한 향기와 함께

예쁜 꽃을 보면 우리는
시름을 잊고 위로를 받는다

기다리지 않아도 찾아오는
봄처럼

아름다운 꽃을 바라보듯이
세상을 바라보자
– 시 「매화」전문

　사람은 자연의 향기로 시름을 잊고 위로를 받는다. 시골에서 태어난 시인에게는 자연은 언제나 친구이면서 놀이터였다. 자연과 늘 함께 자란 탓이었을까. 자연이 있는 그대로의 아름다움과 꾸밈없는 멋진 화음으로 노래를 부른다. 이에 시인은 자연에서 위안과 용기를 얻으며 겸손을 배우기도 한다.

　풀 향기 따라
　길을 나서면 지천으로

널려있는 키 작은 토끼풀꽃

너와 눈 맞춤하려면
낮은 자세로
겸손한 기쁨을 배운다

잠시 스치는
행운을 잡으려 쪼그리고
앉아 눈 부릅뜨고 찾지만
보이지 않은 행운

행운 대신
행복을 한 아름 주었었지

토끼풀꽃
아련한 추억
행복이 방긋방긋 미소 짓는다
– 시 「토끼풀꽃」 전문

자연은 우리처럼 잉태하고, 태어난다. 그리고 키가 자라고, 꽃을 피우며 열매를 맺는다. 자연은 잉태와 출산, 성장의 고통, 꽃을 피우며 결실하면서 늘 겸손하다. 그리고 우리에게 삶의 지혜를 가르친다. 시인은 자연에서 겸손을 배우고 행복을 찾는다.

꽃처럼
아름다운 초록 이파리
무성한 숲을 이루고

알싸한 향기는
콧등을 간지럽히며

그 길을 걷다가 보면
설렘으로 벅차오른다

신록은 꽃이 되어
나는 행복해
- 시 「신록을 보며」 전문

　우리는 자연을 가까이하면 할수록 선한 사람, 지혜로운 사람, 행복한 사람이 된다. 또한 자연에게 많은 것을 얻고 배우며 힘을 얻는다. 그 때문일까? 시인은 자연을 닮아가고 싶은 것이다. 그래서 시인은 자연은 닮고 싶은 아름다움이라고 말한다.

누구도
돌보지 않아도
길섶에 자유롭게
피어있는 들꽃

여린 가슴
하늘하늘 바람에
나부끼며

거친 대지 위에
생명을 피우는 들꽃

길을 걷다 만난

잔잔한 들꽃이 향기로
말을 건넨다

작은 생명이 주는 행복

청초하고
소박한 너의 모습
내 가슴에 가득 담는다

닮고 싶은 그대
아름다움이어라
  - 시 「가을 들꽃」전문

꽃잎 하나, 나무 이파리 하나에서도 수천수만 가지의 일이
일어난다. 누가 돌보지 않아도 관심을 쏟지 않아도 자연은 생
명의 꽃을 피운다. 물이 흐르고 광합성 작용을 한다. 산소가
만들어지고 마침내 꽃을 피운다.
  자연은 우리에게 향기로 말을 건넨다. 시인은 들꽃처럼 그
렇게 자신의 마음을 자연스럽게 그 향기를 드러내듯 들꽃처
럼 살고자 한다. 그래서 시인의 글쓰기는 위대하다. 자연을
시에 담고 우주를 담는 일이기 때문이다.

그곳에 가면
넓은 정원 구석구석은
베토벤의
전원 교향곡이 흐른다

보이차를 사이에 두고

음악의 향기 그윽하다
행복의 환희가 넘친다

음악 속에서
때론 천국과 지옥을 넘나든다

찻잔 가득히 음률이
출렁거린다

삶의 희로애락을
노래한다

보이지도 만져지지도
않는 사랑처럼 음악이 흐른다

그 감동에
우리의 마음을 씻는다

너와 나의 만남은 한
영혼이다

그래서 메마르지도 않고
외롭지도 않다
- 시 「음악의 향기를 찾아서」 전문

"만약 내가 다시 한번 살 수 있다면 적어도 일주일에 한 번
쯤은 시를 읽고 음악을 듣는 것을 습관으로 삼을 것이다"
찰스 다윈이 한 말이다. 이에 공감한다. 시인이 시를 읽고
쓰는 일은 삶을 아름답게 꿈꾸는 일이다. 더욱이 음악을 듣는

것은 삶을 찬란하게 누린다는 것이다. 다른 이와 함께 하나
되는 기쁨을 누리는 일이다. 시를 읽으면 나와 타인을 바라보
는 눈이 부드러워진다. 삶을 아름답게 누리는 것이다. 남이
만들어준 사랑과 평화, 그리고 기쁨을 누리고 즐긴다. 거기에
아름다움이 있다. 순수한 자연이 있다. 자연과 함께 하는 삶,
얼마나 멋진 일인가.

두 눈이 부시도록
파아란 하늘 아래

가녀린 몸매로
가을을 알린 여인

오늘의
눈부신 행복
함께 하는 살살이 꽃

스치는 바람결에
꽃잎이 너울너울

소녀의 순정처럼
여인은 어여뻐라

소박한
행복의 선물
다소곳한 코스모스
- 시 「살살이꽃」 전문

코스모스는 우주다. 우리가 하는 일이 작든 크든 그 안에 우주가 들어 있다. 사랑하고 집중하면 그 속에서 삶의 지혜와 아름다움과 행복을 발견할 수 있다. 자연의 나무와 꽃은 홀로 뿌리를 내리고 홀로 선다. 스스로 가지를 뻗고 잎을 내고 열매를 맺고, 때가 되면 스스로 모든 것을 떨쳐 버린다. 아무도 알아보는 자가 없어도 자신을 알아달라고 소리치지 않는다. 오히려 속살을 키우며 스스로 존재감을 채워간다. 성숙한 삶을 사는 것이다. 시인은 자연을 배우고 닮아가려고 노력한다. 그래서 언제나 가슴으로 자연을 노래하고 자연을 가슴에 담고 있다.

온몸으로
향기를 발하며
영혼에 은은하게 퍼지는 그녀
아름다운 백합꽃

항상
기뻐하며 즐거워하며
일하지도 않고
고민도 하지 않는다

아무도 흉내 낼 수 없게
아름답게 피어난다

긴 어둠을 헤치고 빛으로
피어나는 작은 꽃 한 송이도
그분의 멋진 솜씨가
빛을 발한다

모든 영광을 그분께 돌리며
삶을 허락하심을
감사하며 살아가리라
– 시 「모든 영광을」 전문

　백합꽃은 절대자인 하나님의 창조 작품이다. 어쩌면 백합꽃은 바로 시인 자신일 수도 있다. 꽃 한 송이도 때를 따라 피어나고 꽃잎 하나도 그냥 떨어지지 않는다. 웃음 하나도 행복 하나도 절로 나오지 않고 눈물 한 방울에도 사연이 숨어있다. 그렇게 아름답게 피어난 꽃 한 송이도 바로 절대자인 조물주의 뜻이 담긴 멋진 창조 작품이 아니던가. 그는 그 모든 것에 감사하는 삶을 살겠다고 말한다. 그 때문에 시를 쓰면서 자연을 노래하고 음악을 듣는 것은 아닐까? 내가 꽃이 되어 그 안에 들어가서 노래하면 내 노래는 시가 된다. 꽃의 노래가 된다. 내가 바다가 되어 흐르면서 노래하면 바다의 노래가 된다. 내가 바람이 되어 노래하면 바람의 노래가 되는 것이다.
　글을 쓴다는 것은 내가 그 사물이 되어 그것의 입으로 노래 부르는 것이다.

그 어디에도
머물지 않고

구름 따라 흐르다가
물 따라 흐르다가

가벼운
바람이고 싶을 때가 있다

물빛 풀빛처럼
영롱한 마음으로

마음의 소리를 듣자
어차피 우리는 누구나
씨줄 날줄로 엮이며
살아가는 삶이 아닌가

내 본성의 심연을 향한
마음의 소리를 믿고 따라가자

지나고 보면 별것 아닐 터이니
바람처럼…
- 시 「바람처럼」 전문

    시적 자아는 그 어느 곳에 머물지 않는 바람처럼 자유로운 영혼이 되고자 한다. 그리고 물빛 풀빛을 담는 영롱한 마음으로 자연 속에서 마음의 소리를 듣고 싶은 것이다.

    평안은 내면에 있다. 바깥 환경이나 여건이 평안을 만들어 주지 않는다. 어떤 소유도 명예도 관계도 내 마음에 참 기쁨과 평안을 만들어주지 못한다. 그런데도 우리는 환경에서 평안을 찾으려고 노력한다. 이것은 인간의 본능이다. 세상의 어디를 가도 조용한 곳은 결코 없다. 내 본성의 깊은 연못을 향한 마음의 소리를 믿고 따라가야 한다. 지나고 보면 별것 아닌 삶이다. 그래서 마음을 잔잔하게 하는 것이 중요하다. 그래야만 온 세상이 조용하다.

몽실몽실 가지마다
연분홍빛 사랑

이글거리는 태양 아래
붉은 꽃잎 물들어 간다

화르르
꽃잎이 터지더니
여름 내내 묵묵히
피고 지고 또다시 피고

온 마음 다한 열정으로
화사한 꽃등을 켠다

아름다운
목백일홍처럼
나도 오늘 꽃등을 밝힌다
– 시 「배롱나무꽃」 전문

열정적인 사랑의 배롱나무꽃, 시인은 배롱나무처럼 꽃등을
밝히는 삶을 살고 싶은 것이다. 묵묵히 온 마음을 다한 열정
으로 사랑하고 싶은 것이다.

사랑을 품은 삶은 시인처럼 민감하고 섬세하다. 나뭇잎 하
나 흔들리는 것도, 구름 한 점 흘러가는 것도, 작은 새가 노
래하는 소리도 그냥 지나치지 않는다. 모두 사랑의 시가 되
고, 음악이 되고, 사랑의 몸짓이 된다.

보이지 않지만

느낄 수 있어요
나의 영혼 포근하게
품어주시는 분

햇살처럼
공기처럼
숨결처럼

함께 하시며
동행하는 삶을
살게 하소서

가을과 겨울 사이
찬 바람이 붑니다

머잖아 추운 겨울이
다가오려나 봅니다

철마다 다른 얼굴로
표정을 짓는 자연

그 안에서
모든 생명을
사랑하게 하소서
- 시 「사랑(2)」 전문

사랑할 때는 보이지 않는 것도 느낄 수 있다. 시간도 시 단
위에서 분, 초 단위로 바뀌고 천 리 밖 눈빛도 한눈에 볼 수
있다. 사람들의 작은 목소리도 또렷이 들린다. 꽃 한 송이의

몸짓, 햇살도, 공기도, 숨결도, 자연의 모든 표정이 행복하게
보일 것이다. 여기에 발견의 기쁨이 있다.

모든 보이는 것은
모두 보이지 않는 것들로부터
나온다

바람처럼
잡히지 않는다고
아무것도 아닌 것이
아니다

겨우내 비밀스럽게
숨어있던 생명

때가 되면 싹을 틔우고
꽃을 피우기 위해 바쁘다

눈에 띄지 않아도
부지런히 움직이고
알아주지 않아도
꼭 필요한

바람처럼
햇살처럼
공기처럼

신비스러운
새 생명이 움트는 소리에

귀 기울여 본다
- 시 「생명의 소리」 전문

아무리 깊고 혹독한 추위에도 어디에선가 조용한 생명의 소리가 들린다. 아무리 깊고 어두운 밤이라 해도 어디에선가 빛이 다가오고 있다. 바람처럼, 햇살처럼, 공기처럼, 봄도 새 벽도 홀연히 생명의 소리로 들려온다. 아무리 사납고 질긴 고통이 와도 마음의 어느 한구석에 희망이 싹트고 있다. 그 희망은 오직 기다리는 자에게만 찾아오는 법이다.

지금껏 송미옥 시인의 시 세계를 살펴보았다. 한마디로 자연의 아름다움을 마음으로 그린 시다. 그의 삶에는 시의 저수지가 있다. 시인에게 힘이 된 원동력이다. 시의 저수지는 힘겹고 고통스러울 때 견디는 힘을 공급한다. 그 하나가 자연의 아름다움을 마음으로 그리고 닮으려 한다. 그것이 바로 시가 된 것이다.

그런 의미에서 송미옥 시인은 자연을 그리는 마음의 화가다. 그 시에는 자연의 아름다움이 삶의 전체로 나타나는 것이다. 사랑을 담아서 자연을 바라보고 삶을 표현하고 있다.

눈길
머무는 곳마다
겨우내 잠든 가지마다

몽글몽글
사륵사륵
사랑이 피어난다

선물처럼 빛나는
환한 미소
사랑스러워라

심쿵심쿵 설레는
생명의 환희
신비의 봄이다
– 시 「신비한 봄」 전문

　미국의 생물학자 레이첼 카슨(Rachel Carson)의 말처럼
"자연의 아름다움을 마음으로 그릴 줄 아는 사람은 인생의
어려움을 견디는 힘인 저수지를 가진 사람"인 것이다. 자연의
아름다움은 삶에 새로운 힘과 기운을 불어넣는 신비한 것이
있기 때문이다.
　서양 격언에 이런 말이 있다. "신은 우리에게 호두를 내리
셨다. 그러나 그 껍데기를 까주지는 않으신다." 호두나무를
있게 한 것은 신의 영역이다. 하지만 그 껍데기를 까는 것은
우리가 해야 할 일이다.

풀 향기 따라
길을 걸었다

뜨거운 뙤약볕 아래
미세한 바람에
출렁이는 여린 가슴

누가 가꾸지 않아도
초록초록 싱그러운 웃음

까르르 바람을 탄다

여리지만
강인한 풀잎

세상에 얼굴을
내밀고 있는 가련한 생명들
내 사랑하리라
- 시 「풀잎 사랑」 전문

　신은 우리에게 자연을 주셨다. 가련한 생명이지만 강한 힘
을 지닌 자연이다. 다시 말해 우리의 자연은 사랑과 만남의
대상으로 창조한 것이다. 조물주는 우리를 사랑하기에 신비한
자연을 창조한 것이다. 사랑하면 같이 일하고 싶고 함께 하고
싶은 법이다. 신은 우리를 사랑과 교제의 대상으로 창조한 것
처럼 인간도 자연을 사랑과 교제의 대상으로 함께 해야 한다.
그래서 우리가 자연을 사랑해야 하는 이유다.
　사랑은 또 다른 사랑을 낳는다. 사랑은 사랑을 낳으면서 지
속성을 지닌다. 한 방울의 물이 냇물을 따라 강을 지나 바다
가 되듯이 내 사랑도 깊어가면서 시내가 되었다가 강이 되고
결국 바다처럼 넓어져야 한다. 결론은 자연에서 배운 사랑의
힘은 행복을 가져온다는 사실이다. 송미옥 시인이 자연의 아
름다움을 느꼈다면 그 안에 사랑이 있기 때문이다. 그 안에
사랑이 있기에 다 아름다운 법이다. 이렇게 사랑과 아름다움
은 함께 하는 것이다. 우리가 자연을 아름답게 만나고 싶다면
그 안에 사랑을 넣으면 된다는 사실이다. 예술도 그렇고 시도
그렇다.

결국, 시를 쓸 때는 사랑하는 마음으로 써야 한다는 사실을 말하고 싶다. 자신의 삶을 아끼고 자연을 사랑하고 글을 쓰면 누구나 다 좋은 글을 쓸 수 있다. 머리가 아닌 가슴으로 글을 쓰면 좋겠다. 머리로 글을 쓰면 머리가 아프다. 하지만 가슴으로 글을 쓰면 행복한 법이다. 참으로 신비하다.

　내 노력이 누군가를 기쁘게 한다는 생각으로 우리 가슴에 스며들면 그때부터는 일도 세상도 나도 즐거운 법이다. 이것이 진정 행복이 아닐까 한다.

　송미옥 시인의 첫 시집의 탄생을 축하한다. 아무쪼록 자연 속에서 사는 건강하고 행복한 삶을 응원한다. 그의 건승과 건강을 기원한다.

# 5. 빛과 색으로 그린 그리움과 희망
- 김진오 시집 『빛과 색으로 말하다』를 읽고

　글은 마음으로 그리는 그림이다. 머릿속의 생각을 언어
의 빛과 색으로 그림을 그려서 생각의 꽃을 피우는 것이
다. 시는 조화로운 기운이 뻗어 나와 아름다운 생각의 무
늬를 창조해내는 것이다. 그 시어에는 일이 이루어지는
경험의 글도 있고 빈 그림자를 좇아서 상상으로 엮은 것
도 있고, 거침이 없어 아무런 장애가 없이 편안하게 쓴
글도 있다.
　시는 타고난 능력과 자질에 따라서 스스로 좋아하는 것
을 좇아 마음으로 깨달은 것을 표현한 것이다. 시는 애써
아름답게 꾸미지 않아도 시어가 살아서 저절로 움직이는
빛을 발한다. 일일이 항목을 나누지 않아도 사물의 이치

를 넓게 밝게 통하게 되는 색깔을 지니고 있다.

어떤 사물을 마주하여 공감을 일으키거나 하늘과 땅의 올바른 이치와 모든 사물의 온갖 모습을 두루 꿰뚫었을 때 마음속에 가득 쌓인 생각이나 지식이 가만히 있지를 못하고 글로 마구 터져 나오는 것이다.

이번에 김진오의 시집 『빛과 색으로 말하다』에 실린 86편의 시를 정독했다. 김진오 시인은 전남 신안군에서 30여 년간의 장산면장을 비롯한 공직 생활을 하다가 제 10대 신안문화원 원장을 역임한 바 있는 향토사학자다. 그는 끊임없이 신안지역의 역사와 민속, 그리고 주민들의 삶을 계속적으로 연구하면서 신안에 대한 따뜻한 사랑을 담은 글이 많았다. 그만큼 시는 시인의 얼굴이다. 평범한 시어 속에도 기운이 일어서고 꺾고, 구부리고, 변화하는 시어 속에서도 매번 새로움이 있다. 그리고 놀라움이 있다. 시는 그 사람의 마음을 찍은 사진이다. 그 사람이 쓴 글을 보고 선함과 현명함, 귀함과 길함을 분별하기가 쉽다. 타고나거나 자라면서 얻은 자질과 정신, 기운이 빠짐없이 드러나기 때문이다. 시 쓰기는 하루아침에 쌓을 수 있는 잔재주가 아니라 오랜 세월 노력이 쌓여야 한다. 그의 시적 특징을 살펴보면 세 가지로 요약할 수 있다.

첫째, 그의 시에는 항상 '어머니'가 있다. 그 어머니는 따뜻한 품속이면서 사랑의 마음이며 시인의 고향이다.

토담집은 금빛 반달을 머리에 이고
흙에서 살자고 언제나 소곤소곤

돌담길 따라 햇살 가슴에 품은
아낙네들 마음에는 행복꽃 가득한 곳

앞내도 뒷내도 바닷물 드나드는 갯벌
남정네들 튼실한 팔뚝으로 원둑을 막아
수수 백 칸의 곳간을 만들었다
먹을거리 갈무리하여
한 생을 곱게 담아 살아오는 곳

비소마을 지킴이로 남아있는 거북이 넙섬
우리들 마음 편안하게 해주고
진 잔둥에는 들꽃 풀벌레와 새들의 사랑 노래
누가 들어 주지 않아도 아름답게 들려주는 곳

할머니 허리춤 금 주머니 금낭골 물로
금싸라기 만들어 배고픔 없는 누리를 이루고
어둠이 내려앉으면 새들도 찾아오는 비소모금飛巢暮禽
따뜻한 어머니 품속인 보금자리
우리들이 사는 곳
- 시 「비소리1- 어머니의 품」 전문


비소리(飛巢里)는 전남 신안군 장산면의 자연마을의 이름
이다. 시인의 고향이기도 하다. 마을 뒷산의 지형이 비소모금
(飛巢暮禽), 즉 저녁에 새가 집으로 날아 들어오는 새집 형국
이라 비소(飛巢)라 부른다는 설이 있다. 그래서 시인은 고향
을 '따뜻한 어머니의 품속 같은 보금자리'라고 표현한다. 무엇
보다도 빛깔 있는 묘사가 멋지다. 시인의 고향은 황톳빛 토담
집에 금빛 반달이 뜨고 앞뒤로 내가 흐르고 푸른빛 바닷물

드나드는 곳이다. 수확한 곡식은 금빛이니 배고픔을 잊는 부자마을이 아니겠는가.

> 저녁이면 별들이 집으로 소풍 온다
> 멍석 위에서 보리밥 먹고
> 보리 밥풀만큼이나 수많은
> 빛을 마당에 뿌린다
>
> 쑥대로 모깃불 놓으면 모기들
> 쑥불 연기로 만든
> 실오리 드레스 한 벌 얻어
> 별똥별 손잡고 나들이 간다
>
> 어머니는 광주리에
> 별을 부지런히 따 담아
> 풋참외를 씻으면서
> 텅 빈 곳을 사랑으로 채운다
>
> 별 속에 들어간 풋참외는
> 어머니의 손끝에서
> 노란 참외가 되어
> 빛과 색으로 말한다
> – 시 「어머니의 별」 전문

이 시에 나타난 인상적인 표현은 '별들이 집으로 소풍을 온다.'는 표현이다. 보리 밥풀만큼이나 많은 '별빛'이 보이고 '쑥불 연기로 만든 드레스'에서 하얀 색깔과 노란색 참외가 나타난다. 시의 감성이 넉넉하고 따뜻하다. 어머니의 모습이 별이 되어서 나타나는 것이다.

　김진오 시인의 또 다른 시 「붕어빵」을 살펴보자.


　　눈이 내린다
　　눈 내리는 길거리에
　　붕어가 뛰어논다

　　무쇠 틀 속에서
　　수많은 붕어가
　　살아서 나온다

　　구수한 냄새를 풍기며
　　날아오른다
　　하얀 김을 쏟아 내며
　　춤을 춘다

　　어릴 적 어머니가 사다 준
　　붕어가 되살아나서
　　방안을 헤엄쳐 다닌다
　　어머니와 나는
　　논틀밭틀 따라 고향 간다
　　- 시 「붕어빵」 전문


　눈이 내리는 겨울날 하얀색과 노란 붕어빵 추억은 고향의 어머니를 부른다. 그 색깔은 하얀색과 노란색이다. 예나 지금이나 시를 읽을 때 눈을 뜨게 하고 마음을 밝혀주는 구절은 아마도 '어머니'와 '고향'이 아닐까 한다. 또 마음을 넓혀주고 감동을 일으키는 어머니와 고향은 시적 성장을 가져다준 표현한 것이 아닐까 한다.

어머니는 오늘도 사경에 일어나 목욕재계하시고 사시사철 모두가 잠든 밤 아무도 밟지 않은 오솔길을 따라 해와 달과 별이 먹는 샘에서 한 동이 물을 이고 오신다 물동이 속으로 별들이 들어가 밝고 빛난 정화수를 만들어준다 어머님만의 생활공간인 부엌의 조왕신과 뒤뜰 장독대에서 칠성님께 정성을 가득가득 담아 올리신다 칠성님이 내려와서 어머니의 얼고 부르튼 손을 쓰다듬어 주는데 아랑곳하지 않고 허리 굽혀 두 손 비비는 뒷모습은 큰 바위다 어머니의 정화수는 물이 아니었다 시뻘건 피였다 나를 키워준 피였다
−시 「어머니」 전문

어머니에 대한 그리움이 간절하다. 날마다 사시사철 모두가 잠든 밤에 해와 달, 그리고 별이 되어서 정화된 물동이를 이고 오신다고 표현한다. 그 모습을 큰 바위로 그리고 시뻘건 피로 자신을 키웠다고 말한다.

두 번째로 그의 시에는 '그리움'의 정서로 가득하다. 지난 추억의 그리움에서부터 시작하여 고향, 그리고 추억에 대한 그리움이 절절하게 표현하고 있다.

별들이 소낙비로 내려
너와 나를 흠뻑 적신다
그리워서
그리워서
눈물이 난다
금이 간 가슴으로
눈물방울 뚝뚝 떨어진다
− 시 「그리워」 전문

그의 시 「육지로 올라온 고기잡이배」를 살펴보자. 시인의 삶을 '고기잡이배'로 비유하고 있다. 언덕빼기에 누워있는 배는 지난날을 그리움으로 추억한다.

고향을 떠난 고기잡이배 한 척
삶을 끝내고
포구 언덕배기에 누워 졸고 있다

한때는 조기 갈치 명태 오징어
만선의 기쁨에 바닷바람을 타고
하늘을 붕붕거리며 날았다

가득가득 싣고 오색 깃발 펄럭이며
포구로 돌아온 날 모두 반기면서
내 몸에 지폐를 붙여 주었다

바다가 그리워
울먹울먹하는
육지로 올라온 고기잡이배
– 시 「육지로 올라온 고기잡이배」 전문

고향을 떠났던 고기잡이배가 포구 언덕빼기에 놓여 있다. 만선의 기쁨을 누리면서 행복과 기쁨을 누렸던 고기잡이배는 그의 삶을 마무리했다. 하지만 아직도 바다가 그리운 것이다. 시인에게는 뭍이 고향이기도 하지만 바다도 삶의 고향인 것이다.

끝없이 펼쳐진 소금밭
수리차 덤벙덤벙
바닷물 마시고 토하는
비릿한 고통을 가슴으로 받아 낸다

한 폭의 무명베 펼치면
해님이 찾아와
세월의 더께를 짊어진
염부의 등에서 낮잠을 잔다

소금꽃 춤사위 나풀나풀
잎새에 이는 바람 따라가다
그리움이 사무쳐
백옥으로 주저앉는다
– 시 「비소리 2– 소금」 전문

소금과 해님이 만나는 염전에서 소금꽃이 피어나고 소금꽃
이 바람을 따라가다가 그리움에 사무쳐서 백옥이 되었다는
표현이 눈부시다. 한마디로 아름답다. 비소리 마을의 소금은
그리움이 낳은 백옥같은 존재인 셈이다.

오음산 다섯 개의 소리가
오선지에서
사월의 고운 노래로 일어난다

벚꽃이 해끗해끗 함박눈 꽃으로 내리는
오솔길의 꽃잎에 묻어
개오리 들녘을 넘어간다

노루 가족 맑은 눈망울
머언 데 하늘 마시며
오늘도 고향 생각으로 시린 가슴에
낮달을 따서 담는다
 - 시 「노루」 전문


　오음산은 장산면에 위치한 해발 208 미터의 다섯 봉우리로
이루어진 산이다. 예로부터 노래를 잘하는 명창이 많이 배출
된 지역이다. 시인은 노루가 되어서 그리움으로 고향의 노래
를 부르고 있다. 물아일체의 경지인 셈이다. 우리는 보통 내
면화라고 말한다. 그 대상이 되어 그 안으로 들어가 그 대상
이 되어 노래하면 감정이입이 된다. 또 다른 시를 살펴보자.
이번에 시인은 섬이 되어 그리움을 말한다.


바다로 터벅터벅 걸어가면
푸른 빛 감도는 점 하나
출렁거린다

이별의 아픔 깊숙이 박힌
야윈 목선 한 척 오늘도
그리움에 눈물 흘리며 누워있다

팽나무 주엽나무 가득한
나이 많은 나무숲 사이로
푸드덕 새 떼가 날아간다

그 틈새에 얼어붙은 바람
적막 속으로 들어가

꼿꼿이 서 있다
  - 시 「그 섬에는」 전문

　아름다움이란 무엇일까? 필자는 아름다움이란 단어를 쓸 때마다 가장 선하고 고귀하며 가슴 벅찬 감정이 떠오른다. 그래서 사물의 내면으로 들어가 노래하는 시인이 아름답게 느껴진다. 그 아름다움은 나에게 직접 찾아온다. 단순과 복잡, 소박함과 화려함을 떠나서 더 할 것도, 뺄 것도 없는 완전한 상태, 여기에는 순수함이 있어야 한다. 바로 김진오 시인이 추구하는 세계다.

내 마음의 꽃밭에
피는 홍매화
한 그루
당신을 향한
보고픈 그리움
꽃잎 되어
하나둘 떨어져
강물 따라
멀리멀리
가고 가네
  - 「당신」 전문

　멀리 떨어져 있는 사랑하는 이가 그리워서 갈 수 없는 상황 속에서 시인은 홍매화의 꽃잎이 되어 강물 따라 한 잎, 두 잎 그리움으로 달려가는 것이다. 따뜻한 감성이 넘쳐난다. 시를 쓴다는 것은 내가 그 사물이 되어 그것의 입으로 노래 부

르는 것이다. 그러면 그 안의 참 기쁨, 참 고통, 참 희망을
알 수 있다. 그래서 시인은 꽃이 되어 그 안으로 들어가 노래
하면 내 노래는 꽃의 노래가 되고 사랑의 노래가 되는 것이다.

바닷속 깊이 뿌리를 내리고
꿈을 꾸고 있는 섬들
매일 그리움에 젖는다

바다는 연신 춥다고
저희들끼리 몸을 비비며
바다 이불을 잡아당겨 덮는다

때로는 섬 둘레둘레 마다
파도 바람을 휘날리며
섬들에게 화풀이를 한다

그러나 섬들은
그저 묵묵히 웅크리고 앉아
말없이 잠잠하다

올망졸망 섬들은 바다 사이에서
만나지 못한 그리움에
몸져누워 연신 눈물을 흘린다

섬들의 눈물이
마르고 말라
짠 바닷물을 만들었나 보다
– 시 「섬」 전문

세 번째로 김진오의 시의 특징은 '진실의 논리'를 갖고 있다. 시에서 논리는 차갑고 건조한 것만이 아니다. 어떤 말에 뜻을 다지고 고개를 끄덕거림이 있어야 한다. 다시 말해 김진오의 시는 진솔하기에 논리적이다. 진실한 시는 간결하기 마련이다. 군더더기 없이 있는 그대로의 아름다움이 담겨있다. 그래서 시는 언어의 정수라고 말하지 않던가. 시어는 마음속에서 우러나오는 소리이기에 더욱 그렇다. 자신의 경험을 담은 시가 살아 숨 쉰다. 은근하게 속삭이면서 감성으로 독자에게 호소하는 것이다.

　　와 아
　　바람에 목욕하는 벌거벗은
　　저 수많은 나무

　　시원해서 덩실덩실 춤을 추면서
　　마을로 마을로 내려와서
　　사람들 껴안고
　　입맞춤하는 연둣빛 사랑
　　– 시 「목욕」 전문

　말과 행동으로 사람에게 다가서는 일, 그리고 글로써 사람을 안내하는 일은 한가지다. 모두 마음속의 깨달음을 실제로 행하고, 입에서 나와 말이 되어야 한다. 바로 책으로 쓰여 글이 되어야 한다. 그런 의미에서 김진오 시인의 시집 『빛과 색으로 말하다』는 진심을 담은 시집이다. 그가 말하는 빛과 색은 어머니 같은 별빛의 삶, 그리고 푸른빛의 꿈, 연둣빛의 사랑이다.

헬렌 켈러(Helen Adams Keller)의 말이 떠오른다. "세상에서 가장 아름답고 소중한 것은 보이거나 만져지지 않는다. 단지 가슴으로 느낄 수 있을 뿐이다."

시인은 한 알의 모래에서 하나의 세계를 본다. 한 송이 들꽃에서 진리를 만난다. 사막에서 바위는 오랜 세월을 지나 모래 한 알이 된다. 그때까지 많은 인내와 고통을 겪는다. 그런데 시인은 그곳에서 마음을 열고 진실을 말하고 희망을 말한다.

> 끝없는 사하라 사막
> 낙타 한 마리
> 모래 폭풍 속에서도
> 등 위에 진 하루의 삶이 잘 여물도록
> 저벅저벅 걸어간다
>
> 사막의 지평선은 고통이 아니다
> 희망의 싹이다
>
> 어두운 틈새에서
> 낙타와 나의 짧은 만남을
> 별들이 내려다보다 갑자기 뛰어내린다
> 이내 별들은 샘물이 되어 흐른다
>
> 낙타의 등 위로
> – 시 「낙타」 전문

누구에게나 좋지 않은 환경이 있다. 하지만 그 환경도 내가 어떻게 헤쳐나가느냐가 관건이다. 내 마음이 건강하고 밝으면 어떤 환경에서도 자유롭고 그곳에서 희망을 찾아낸다. 그리고 시인은 계속해서 꿈을 말한다.

　　해가 서쪽 하늘로 걸어가는
　　신시申時 끝자락
　　동네 아이들 소 몰고
　　산 넘어 풀밭으로 꼴을 먹이려 간다

　　원둑 한편은 넓은 갯벌
　　바닷물이 밀려와 찰랑찰랑거리고
　　반대편은 소금밭으로
　　햇볕에 그을린 구릿빛 몸통을 드러낸 염부들이
　　짜디짠 알갱이 모아 허기진 희망을 담는다

　　소들은 제 나름대로 흩어져 풀밭으로
　　주린 뱃속 넉넉하게 채워 풍년가 부를 때면
　　아이들은 모닥불에 잘 구워진 보리끄스럼으로
　　아차아차하던 보릿고개를
　　물구나무서듯 가파르게 길을 걷는다

　　노을이 아이들과 소들을 이끌면
　　땡그렁땡그렁 워낭소리 내며
　　집으로 가는 길에
　　개밥바라기 손을 흔든다

　　풀꽃이 오늘도 무사함을 반기며
　　내일 모레 글피도 햇살로 피어나
　　한 뼘 한 뼘 자라 푸른 꿈 품으라 한다
　　- 시 「비소리 10- 푸른 꿈」 전문

꿈을 밀고 나가는 것은 이성이 아니라 희망이고 두뇌가 아니라 심장이다. 재능도 이성도 그것을 내 삶의 목적에 사용하려면 희망이라는 원동력이 필요하다. 그래서 그의 꿈과 희망의 색깔은 푸른색이다. 희망이 있으면 심장의 열정을 뿜어 올리기 때문이다. 그뿐인가. 시인은 한 송이의 들꽃에서도 진리를 만나게 된다. 평화와 아름다움, 순수함, 당당함, 조화로움 등 헤아릴 수 없는 지혜와 질서를 만난다.

숲속 하늘 햇빛 방울은
눈이 시리도록
초록 사랑 머금는다

산들바람은
나뭇잎 간지럽혀
웃음 짓게 한다

풀 섶 이름 모를 꽃들
살포시 고개 내밀어
옛이야기 속삭인다
- 시 「들꽃」 전문

세상의 모든 것 하나하나가 고유의 의미와 원리를 갖고 있다. 시인은 이를 찾아내고 글로 표현하고 있다. 삶이 멋진 이유는 끊임없이 새로운 것을 발견하고 있고 있기 때문이다. 시인은 계속해서 새로운 눈으로 바라본다. 새롭게 보는 발견의 즐거움을 누리는 것이다. 『잃어버린 시간을 찾아서』의 저자 마르셀 프루스트(Marcel Proust)는 "진정한 발견의 여정은 새로운 땅을 찾는 것이 아니라 새로운 눈으로 바라보는 것이다."라고 말했다. 옳은 말이다. 김진오 시인은 사랑의 마음으로 사물을 대하고 있다. 사랑이 있으면 아름다움을 느낀다. 그 안에 사랑이 있기 때문이다. 그 안에 사랑이 있는 것은 다 아름다운 법이다.

> 메밀꽃은
> 달빛이고
> 별들이고
> 희디희고
> 맑디맑아
> 그 순수함이
> 내 누이의 티 없는 얼굴 닮았네
> – 시 「메밀꽃」 전문

우리가 어떤 물건을 아름답게 만들고 싶다면 그 안에 사랑을 넣으면 된다. 예술도 그렇고 사람도 마찬가지다. 조물주는 모든 자연과 인간을 사랑의 마음으로 만들었다. 그렇기에 모두가 소중하고 아름답다.

> 목상의 독수리가 해를 물고 날면서
> 우리의 아침이 열린 어느 봄날
> 꽃으로 피어나
> 아름다운 꽃 다섯 송이 향기를 머금고
> 한 달에 한 번 만나
> 우정을 가득 채워 마시는 세월의 잔
> 이순의 나이 앞에서
> 우리들 환하게 웃는 기쁨을 맛본다

목련꽃에 걸린 조각달
열 가슴이 둥근달로 키워
온 마음 꽃빛으로 비추는 사람들
참 좋은 사람들
- 시 「좋은 사람들」 전문

정말 소중한 것은 시인 스스로 터득하는 일이다. 어린아이의 말문이 열리고, 키가 자라고, 성인이 되어야 사랑을 한다. 고통도 받아들인다. 좋은 것, 아름다움을 느끼는 것은 누가 가르쳐 주는 것이 아니다. 스스로 느끼고 깨달으면서 가슴에 쌓아가는 것이다. 어쩌면 시인은 시를 쓰면서 그 감성을 가슴으로 쌓아가는 것은 아닐까? 아무도 모르는 사이에 우리의 생각과 말과 행동에 스며들어 성품이 되고 인격이 되어 나타난 것이다.

와 아
바람에 목욕하는 벌거벗은
저 수많은 나무

시원해서 덩실덩실 춤을 추면서
마을로 마을로 내려와서
사람들 껴안고
입맞춤하는 연둣빛 사랑
- 시 「목욕」 전문

오늘도 시인은 장산도에서 그리고 삶 속에서 목욕하고 있다. 자연과 사람 속에서 그렇게 살아간다. 좋은 생각을 하면 좋은 관계, 좋은 사랑을 하게 된다. 그러한 사랑이 그 사람을 성숙시키고 행복하게 한다. 가랑비에 옷이 젖듯 어느 사이엔가 시인의 내면도 사랑과 진실에 젖게 마련이다. 그의 삶에 반가운 비가 내리면 모든 생명이 초록빛을 띤다.

머언 산 어두워진다
어둠 속에 비가
소리 없이 내린다
논밭 쩍쩍 갈라진 틈새 흠뻑 젖는다
온 세상이 밝아지면서
초록 싹이 피어오른다
삽을 들고 논두렁 물꼬를 보는 농부들
얼굴에 웃음꽃이 핀다
— 시 「반가운 비」 전문

지금껏 김진오 시인의 시 세계를 살펴보았다. 그의 시를 한마디로 말하면 '빛과 색으로 그린 그리움과 희망의 노래'라고 말하고 싶다.

어머니에 대한 그리움은 따뜻한 별빛이다. 그 그리움은 개인을 넘어서 좋은 세상을 만든다. 그 시대가 어떤 시대였는지 알고 싶으면 그 시대의 어머니를 보라는 말이 있다. 시인은 어머니의 품과 같은 장산도에서 어느새 최선의 삶을 살고 있다.

빈센트 반 고흐(Vincent van Gogh)가 말했다. "삶을 사랑하는 최선의 방법은 사랑하는 것이다."

그의 꿈과 희망은 푸른 빛이다. 삶이란 한 사람 한 사람이 품는 희망의 역사다. 그로 말미암아 세상에 가치를 더하는 것이다. 삶은 누구의 것이든 소중하고 귀하다. 이 삶을 아름답게 하는 최선의 길은 많은 것을 사랑하는 것이다. 많이 사랑하는 사람은 풍성하고 아름다운 삶을 살아간다. 그래서 김진오 시인의 희망과 꿈의 빛깔은 푸른색이다.

그의 깨달음의 진리는 연둣빛이요 초록빛이다. 그는 오늘도 자연과 사람 속에서 초록 사랑을 하는 것이다.

삶의 결론은 그다지 복잡하지 않다. 우리 안에 사랑과 희망이 있다면 우리는 이미 성공한 사람인 것이다. 아침마다 사랑의 인사를 나누고 희망을 나눌 때 우리는 최상의 삶을 사는 것이리라.

김진오 시인의 86편의 시를 만났다. 고향과 같은 비소리, 신안과 장산도에 대한 사랑, 자연에 대한 꿈과 희망을 만날 수 있었다. 어머니 같은 고향, 자연을 아끼는 그 마음에 읽는 이도 가슴도 뭉클하리라.

고향(어머니)에 대한 별빛 같은 그리움과 사랑, 푸른 희망, 그리고 연둣빛 깨달음이 오래도록 독자들의 가슴에 남으리라.

김진오 시인의 건강과 건승을 기원한다.

# 제3부

# 열정이 빛은
# 아름다움

# 1. 열정이 빚은 아름다운 그리움

― 김은자 시집 『한 잔 그리움 추억에 얼룩질 때』을 읽고

팔순(八旬)에 이르러 70여 권의 책을 출간한 시인을 만나는 일은 영광이다. 시인은 영혼의 우물에서 언어를 건져내어 사유의 진액으로 시를 빚어내는 일, 시인은 삶의 갈피의 굽이에서 응축되는 살아 움직이는 사리(舍利)라고 했다. 오랜 수행을 한 이가 세상을 떠난 후 아름다운 보석을 남기는데 그 이름이 사리이다. 특히, 불교에서 부처님 혹은 오랜 수행을 한 고승이 사후에 몸속에 다양한 사리가 발견되는 걸로 알려졌다. 그 사리의 색은 무척 다양하다. 흰색, 검은색, 붉은색, 푸른색, 노란색, 초록색 등 각양각색이다.

그렇다면 김은자 시인의 시의 빛깔은 어떤 색깔일까?

바람의 무게 밀어내고
하늘의 변덕 견디면서

대지 꿈틀거리는 몸짓 따라
말맛으로 허공에 묵화 친다

창틀 벗어나려는 유리창 안
신맛 쓴맛 단맛 매운맛 짠맛
침묵하는 마음의 베틀에 걸고
내 삶의 말맛을 발효시켜
사리 같은 시집을 봉안한다
– 시 「말의 오미」 전문

　시를 잉태한 후에 사리함 같은 시집을 낳는 일, 아기를 임
신하고 출산하는 여정과 같다고 시인은 말한다. 시를 창작하
는 순간은 경건하게 기도하는 마음으로 챙긴다고 했다. 그렇
다면 그의 시의 빛깔은 '그리움의 빛깔'이 아닐까?

세상이 내 삶을 데려다주고
만남과 이별의 이중주가
고개 한번 돌리는 순간처럼
짧은데도 벌써 80년

주변에 버팀목은 유명을 달리하고
남은 생 어림짐작하지만 잘 모르고
막연히 망 구의 언덕에 올라
그리운 사람을 그리워한다

동녘에는 뜨거운 해가 떠오르고
지구의 한 지점에 내가 중심점
원을 그리며 우주를 품고

아주 작은 씨앗으로 살아간다

합장하면서 불경을 듣는 아침
주어진 삶이 건안하길 빌며
버팀과 발전이 영글기를 기도하며
고해 길목에 시심의 징검다리 건넌다
– 시 「미수의 새벽기도」 전문

　시인은 시를 쓸 때마다 기도하면서 시심의 징검다리를 건
넌다고 했다. 시(詩)란 운율을 지닌 함축적 언어로 표현
한 창조의 문학이다. 그의 시는 울림이 있고, 음악이 흐르
고, 조화로움을 가진다.
　그렇다면 김은자 시인의 시의 장점은 무엇일까?
　첫째, 새로운 발상의 힘이 크다. 다시 말해 발상이 신선하
고 힘이 느껴진다. 어떤 작품들은 '참 발상이 좋네'라는 감탄
사가 절로 나온다. 그만큼 그의 시는 새로운 발상이나 상상,
역발상을 통해 나만의 시작품을 창조했다고 할 수 있다.

슬픔이 잠식하는 영혼의 샘
그리움은 기다림을 업고 버티다가
누워버린 낙엽이 되기까지
흘린 눈물의 용량만큼 담긴다

앙가슴에 하얀 피가 고이듯이
시간을 물어뜯는 고통의 자궁
망각을 잉태하면서 착상하고
그녀는 침묵의 소리로 신음한다

바닥난 삶의 끝자락이 치마 밑단 같아
땅에 끌려가듯 길을 핥아가며
시린 가슴 어루만지면서
그리움이란 칼끝에 맨살 베인다
- 시 「그리움의 칼날」 전문

　깊은 영혼의 샘에서 길어 올리는 시인의 시어를 다발로
묶는다면 한마디로 '그리움'이다. 이번 시집에 등장하는 그리
움의 단어는 스물한 번 등장한다. 마음은 나이가 들어 원숙
하지만 소녀적 발상에 그만 놀라움이 앞선다. 풋감정을 넘어
선 완숙한 언어의 발상이 아니겠는가.

발자국 찍어놓은 만추 잎새
깃발처럼 바람에 안겨 너울거리고
고요를 가지에 걸어놓으며
추억 묻힌 채 시치미 뗀다

기다림을 다듬어 엮어 놓고
그리움 한잔 타서 마시다
숭늉보다 구수한 낙엽 타는 향
시절 인연 실타래 매듭짓고

주름진 손등에 무상이 졸고 있다
디딤돌 디디면서 생의 강 건너
늘 결핍의 길목에
얼룩 지우고 글썽인다
- 시 「한 잔 그리움 추억에 얼룩질 때」 전문

둘째, 탁월한 비유에 감탄하게 된다. 시는 근본적으로 비유의 속성을 갖는다. 시인이 시 작품 속에 표현하려고 하는 나만의 원관념을 향해서 갈 때 직접적으로 말해주는 방식이 아니다. 바로 보조관념인 객관적 상관물을 끌어와 빗대어 표현해야 한다. 김은자 시인은 "비유가 정말 탁월하구나"하는 생각이 들 정도로 기가 막힌 비유를 활용할 줄 안다.

 쓸쓸한 면류관처럼 사라진 청춘
 푸른 모서리 틈에 숨어있다가
 튕겨 나온 풋감정
 가을 서리 맞은 생 다독거린다

 갈채 없는 열정이
 승천 못 한 이무기처럼
 문자의 기둥에 걸어보는 언어 조각
 증식하는 그리움 압축한 칼금 흔적

 마음 속살은 슬픈 이별이 배어있고
 처음 늙어감은
 한 자락 노을처럼 구름밭에 앉아
 버팀이 해쓱한 얼굴에 비장함 칠한다
 ‒ 시 「풋감정 깃드는 늦가을 생」 전문

 시인의 삶은 이제 계절로 치자면 아름다운 '가을'이다. 하지만 시인은 자신의 시적 감정을 풋감정이라고 겸손히 말한다. 팔순의 나이에 언어의 조각을 그리움으로 압축하고 칼금을 그어 70여 권의 저서를 남겼다면 풋감정일 리가 없다. 그의 태도는 슬프다 못해 이제는 비장하다. 어쩌면 늦가을 인생을 정리하면서 세월이라는 가을 서리를 맞으니 외롭고 힘들지 않겠는가. 그럼에 불구하고 시인은 오늘도 저녁노을의 구름밭에 앉아 있다고 비유한다. 이 얼마나 탁월한 비유인가.

해 오름 달 첫날
산수를 끌어안고 망구(望九)의 길
소원을 이루라는 불꽃의 향연을 본다

모든 이의 은혜로 여기까지 와서
감사하다는 마음 간직하며
하루가 주어지면 기적처럼 살기로 한다

허공 품고 우주 향해 건강을 기원하고
삶의 길에 휘청이지 말고
맑고 향기로운 여정에 서성이길 빈다

사랑을 위하여 사랑을 가꾸고
글길에 꽃잎 뿌리며
왼쪽 발끝 앞길에 내민다
- 시 「임인년의 새 아침」 전문

산수(傘壽)의 나이는 '가릴 것이 없는 나이'다. 새해 아침에 시집 『한 잔 그리움 추억에 얼룩질 때』라는 시집을 출간하면서 팔순(八旬)이라는 축복의 삶을 살아온 자신을 기념하면서 감사의 마음을 표현한다. 망구(望九)의 나이를 향해 살아가는 지금, 나이테에 그려진 삶을 언어의 실로 시침질하고 박음질하는 아름다운 삶을 사는 시인의 감성을 보라. 시인은 사랑을 위하여 사랑을 가꾸고 글길에 꽃잎을 뿌린다

고 했다. 바로 시를 창작하는 아름다운 시인의 태도가 아니
겠는가. 그리고 그 감성을 독자와 함께 감사의 마음으로 함
께 나누고 싶은 것이다. 시인은 하루하루의 삶이 기적처럼
사는 삶이라고 겸손히 말한다.

  계단에 걸터앉은 그리움이
  가슴 헤집고 들꽃 피우더니
  향기를 펄럭이며 구름에 숨는다

  볼을 스치는 바람 같았고
  무심지無心池에 피어난
  연꽃 한 송이더니
  성큼 내 마음 열어 버렸다

  비등점 근처에 가면 화상 될까 봐
  살얼음판에 늘어난 체중처럼 겁을 냈건만
  어느새 임계점에서 그리움 앓는구나
  - 시 「그리움의 임계점」 전문

  그리움이 들꽃을 피우더니 향기에 펄럭이다가 구름에 숨
는다. 그리움은 또한 볼을 스치는 바람이고 연꽃 한 송이로
활짝 피어나더니 비등점에서 화상이 될까 봐 혹은 살얼음판
의 늘어난 체중에 겁을 낼만큼 아찔한 상황, 바로 "그리움을
앓는다."고 표현했다. 바로 그리움에 대한 신선한 시적 직관
과 더불어 예기치 못한 반전이다. 시에 나타난 정황과 화자
가 지닌 존재론적인 의미를 꿰뚫어 보는 듯하다. 시인이 표
현한 직관을 읽을 때 우리는 시의 깊이와 신선함을 느낀다.

소리 없이 색이나 모양으로
아니면 향기로 계절을 업고
피고 지는 꽃잎의 사연은
기다림과 그리움과 짝사랑을
마음 다하여 외치는 듯
누군가의 손길이 산책길에
심어서 가꿔 미소를 준다

시절 인연 따라 얼굴을 보이는 꽃
화장하는 여심처럼 힘주고
있는 힘을 다하여 자기를 지키다가
떠나갈 때 슬픈 마음으로 우는 듯
허공에 몸을 던지면서
자연으로 돌아가면
삶의 행간에 여인의 일생처럼 자리한다
— 시 「꽃의 살결이 미소 지으면」 전문

이 시에는 꽃을 한 여인으로 비유하면서 한 여인의 기다림과 그리움으로 살다가 짝사랑의 마음은 화장하는 여심으로 살다가 마침내 떠나갈 때 슬픈 마음으로 허공에 몸을 던져 자연으로 돌아가는 여인의 일생을 표현한다.

셋째 김은자 시인의 시적 특징은 읽는 사람의 마음을 시원하게 해주는 솔직 담백한 시적 진술을 잘 구사한다는 점이다.

바퀴가 돌아가 법이 흐르고
인연 끈 늘어뜨려 삶이 탄다

거울 보며 티 골라내는 성숙의 씨
민들레 홀씨처럼 열매 실어 나른다

목숨 심지 조절하는 기름 같은 사랑
그리움이 새순 돋우며 덩굴 기어간다

덫이 영그는 돌계단 모서리에 걸려 찔끔
손난로 쥐여 주는 따뜻한 손길 미소 준다

안감이 겉감 모양새 조절해 주듯
환각의 소멸 여정마다
내조가 거룩한 동의보감 저자 허준 아내
나를 옷깃 여미게 만든다

부러운 대상 보며 가다듬는 생의 찬미
추스르는 그림자의 훨훨 너울춤
목숨 심지 조도 높이는 에너지로 품는다
- 시 「목숨 심지 돋우며」 전문

　시인의 말처럼 목숨의 심지를 돋우는 일은 바로 시를 쓰는 일이 아닐까? 시인은 인연의 끈을 늘여서 삶이 타는 일이고 민들레 홀씨가 생명을 나르는 일이다. 시를 쓰는 일은 기름 같은 사랑이지만 그리움이 새순을 돋는 일이다. 어쩌면 독자에게 덩굴이 되어 기어가는 일인 셈이다.
　시인이 시를 쓰는 일은 어느 추운 날 손난로 만나듯이 따스함을 전해주는 일이기도 하다. 때로는 부러운 대상을 보며 생을 찬미하면서 자신의 삶을 추스르는 그림자가 되어 너울춤을 추며 목숨의 심지의 조도를 조절하다가 마침내 목숨의 조도를 높여 에너지로 품는 것이다.

　대지의 체온 만지며

묵정밭 일구듯
시의 혼을 씨앗으로 심어
연두를 읽고
꽃봉오리 입술을 보며
개화의 살결에 입 맞춘다

사랑의 인연이 시옷을 입고
계절다운 입김 불면서
허공에 그리움까지 던지고
기다림을 지평선에 묻으면
황혼이라도 노을은 소리 없어
장미 정원 가는 이정표 일러준다
- 시 「묵정밭 일구듯」 전문

　시인은 솔직하게 자신의 삶을 소개한다. 시를 쓰는 일은
사실 대지의 체온을 느끼면서 묵정밭을 일구는 농부의 삶이
다. 혼으로 씨앗을 심는 일이다. 한 권의 시집이 세상에 처
음 얼굴을 내밀 때마다 설렘과 두려움이 교차한다. 그때마다
시인은 상큼한 연두의 발랄함으로 꽃봉오리의 입술을 보면
서 꽃이 핀 살결에 입을 맞춘다. 그 사랑의 인연으로 시옷을
입은 그리움은 민들레 씨앗처럼 허공에 훨훨 날아가는 것이
다. 그리고 시인은 임을 기다린다. 마치 지평선에 그리움을
묻듯이, 마침내 저녁노을이 지는 황혼에 이르면 장미 정원으
로 향하는 이정표를 따라 걸어가는 것이다. 그렇다. 시집을
낸다는 것은 인생의 발자국을 남기는 일이다. 그리고 시인의
말처럼 그리움을 한잔 타 먹는 일이리라. 시인은 시를 통해
감정의 정화는 물론 아픈 상처를 치유하는 삶을 살아가면서

삶의 열기와 한기를 조절하고 있는 듯하다.

　욕망의 무게가 앙가슴에 얹힌다
　나이테에 애증이 스몄던 흔적
　낯선 호흡의 길이 음계로 떠돈다

　노을 업고 뒷모습 보이던 생을 찢어
　산발한 머릿결 빗어 내리듯 나를 추스르며
　거죽을 걷어내고 신줏단지 속을 더듬는다

　상실의 슬픔이 아직 끈적이면서
　단지 주둥이에서 서성이더니
　장미 향 발효되면서 그리움 재웠다
　- 시 「애증의 신줏단지」 전문

　김은자 시인은 시를 쓰면서 애증의 시간이었으리라. 산발한 머릿결을 빗어 내리듯 자신을 추스르면서 거죽을 걷어내고 새로운 신줏단지 속을 더듬는 세월이었다. 상실의 아픔도 겪었고 기다림도 배웠다. 결국은 시인은 장미향으로 발효되면서 그리움을 재운다. 김은자 시 작품에는 '장미'라는 시어가 총 9회 등장한다. 자신을 대변하는 이미지로 보인다. 망구의 세월을 살아왔지만 가장 아름다운 노을로 장미의 새순으로 돌아서 백설에 돋아난 꽃처럼 빛을 돌이켜 거꾸로 비추는 삶, 죽음에 이르러서 잠시 동안이라도 왕성한 기운으로 맑은 시를 쓰고 싶은 것이리라.

　하루 중에서

가장 아름다운 노을

인생에서 마무리 계단
장미 새순 돋아

꽃봉오리 백설에 숨어
동백의 붉음 비치고

가슴에 이어지는 연리지
회광반조回光返照 같은 미소

묵어도 새순처럼 연두를 지고
황혼 노을빛 품으로 접어든다
 – 시 「묵어도 새순처럼」 전문


　망구의 세월을 살아왔지만, 인생의 마무리 계단에서 장미의 새순으로 돌아서 회광반조回光返照의 미소로 연두를 지고 황혼 노을빛으로 잠들고 싶은 것이다. 바로 시인 자신의 삶의 의지를 표현하는 작품이다.
　지금까지 살아오면서 발간한 70여 권의 책자를 읽어준 모든 독자에게 감사의 마음을 담아 '묵어도 새순처럼' 온전히 살고 싶은 것이다.


안개꽃이 장미의 붉은 색을 들춰주듯
소리와 문자로 사랑 고백의 해일에 쓸려
순도를 측량하기도 전에
육감이 마비되는지 황홀에 빠져든다

군중 속의 고독이라던가
풍요 속의 빈곤
텅 빈 충만이라는 역설이
이성을 마비시키는 혼란의 고독

사랑은 그 많은 아픔의 가위질로
내 삶을 마름질하더니
사랑한다는 고백이 다발로 쏟아지니
빈 가슴은 한층 외로움에 고립된다
        - 시 「사랑 채널」 전문

사랑하는 독자에게 소리와 문자로 사랑을 고백하는 시인의
삶은 황홀한 일이다. 그러나 군중 속의 고독, 풍요 속의 빈곤
을 경험하게 되면 고독하게 마련이다. 이에 아픔의 가위질로
내 삶을 마름질하면서 사랑한다는 고백을 한 다발 쏟아놓는
다. 하지만 시인은 그만 외로움에 빠진다.

느닷없이 찾아온 첫사랑처럼
상식도 모르는 연두의 싹
과속박력으로 발아하는지
감당키 어려운 해 오름 달의 오후
보고 싶다 다녀간 마음 굵다

흘러갈 인연의 눈물 흘렸기에
내 시를 읽다가 울컥하는 바보
사랑의 갈피를 뒤적이면
매혹으로 다가와 세월 등에 업고
안개처럼 사라진 추억이 조롱한다

장미에 가시 달아놓아 타일러도
바보다운 얽힘은 막무가내
배신의 덫 가시로 찌를지
정녕 모르지 않을 텐데
불나비처럼 내던지는 황혼이 버겁다
- 시 「바보다운 행진」 전문

시인은 바보다운 행진을 계속하고 있다. 시를 사랑하는 첫
사랑에 빠진 세월 속에서 연두의 싹이 발아하고 어느덧 장미
꽃이 피는 매혹의 세월을 살았다. 그러나 장미 가시에 얽히고
가시에 찔리고 마침내 불나비처럼 내던지는 버거운 삶을 살
아가는 것이다.

지금껏 70권의 작품집을 발간한 김은자 시인의 열정이 담
은 그리움의 시를 살펴보았다. 한마디로 김은자 시인의 시에
는 새로운 발상과 탁월한 비유로 독자의 마음을 시원하게 해
주는 솔직 담백한 시심이 돋보였다. 이런 시심을 젊은 시인들
도 닮아가면 어떨까? 다시금 그의 작가로서 열정과 헌신을
존경한다.

시는 감각이다. 관찰 감각, 사유 감각, 표현 감각이 뛰어나
면 감동과 신선한 정서적 파장을 일으킨다. 김은자 시인의 시
작품이 그렇다.

백수를 누리는 시인으로 계속해서 그의 시심을 자주 만나
고 싶다. 시인의 건강과 건승을 기원한다.

## 2. 감사한 삶에서 발견한 행복의 기적

- 박원옥 수필집 『YES, You Too Can Dream 절망의
벼랑 끝에서 피어오르는 꿈』

우리는 왜 글을 쓰는가? 도대체 글을 쓴다는 것은 어떤 의미일까? 이는 글벗문학회 회원들과 20여 년 동안 함께 글공부하면서 끊임없이 묻고 또 물으면서 던진 질문이다. 이에 한결같은 대답은 글을 쓰는 일이 좋고 내 마음을 다독거려 주기 때문이라고 했다.

우울한 마음을 글로써 풀어버리고 속상했던 일도 글로써 토로하듯이 마음을 푼다고 했다. 한 마디로 글을 쓰는 것이 행복하다고 했다. 내가 하고픈 이야기를 글에 담아서 자유롭게 토로할 수 있었기 때문이다.

누구나 글을 쓸 수 있다. 그러나 제 나이에 맞는 말을 배우고 연습하는 사람은 드물다. 학교에서도 가정에서도 직장에서

도 말을 가르치지 않는다. 그런데 의문이다. 어른이 된다고 아름답게 말하는 법을 알게 될까? 혹시 몸은 육십이 되었는데 말은 이삼십 대에 머물러 있지는 않은가? 말도 자라야 한다. 어른은 어른답게 말해야 한다.

박원옥 수필가와의 만남은 2007년 사이버상에서였다. 우연히 심사위원과 작가로 만났다. 그때 그의 시를 처음 접할 수 있었는데 때론 매서울 만큼 날카롭고 예리하고 혹독하게 다그치기도 했다. 물론 글 나눔을 통한 격려와 배려를 통한 문우의 정을 키우곤 했다. 박원옥 시인은 그렇게 17년 동안 글 나눔을 통해 만난 문우이자 문학적 역량을 함께 키워온 지인이자 동료다. 그의 시는 대체적으로 어두웠지만 진솔한 삶을 담은 힘이 넘치는 글이었다. 때론 세상과의 힘겨운 싸움에서도 따뜻한 가슴을 잃지 않았던 시인이었다. 그 때문이었을까? 그는 어느 날 불쑥 문단에 등단했다. 그의 문학적 역량을 인정받은 것이다. 그리고 수필가의 역량을 키워왔다.

박원옥 수필가는 어른답게 말하는 방법을 알고 있다. 왜 그럴까? 바로 그가 신앙을 갖고 생활하면서 경험한 '행복한 기적' 때문이리라. 그 행복에는 '감사'가 넘친다.

누구나 힘겨울 때가 있다. 이를 극복하기 위한 다양한 방법이 있다. 그 하나가 독서요, 글쓰기다. 외롭고 힘들 때, 그리고 우울할 때 나를 성찰하는 기회는 매우 유익한 일이다. 고독은 마음의 자유를 빼앗고 사람을 무기력하게 만든다. 이에는 많은 인내심이 필요하다. 박원옥 수필가의 글을 읽으면서 심한 삶의 어려움 속에서도 하나님을 향한 믿음을 고수하려고 몸부림치는 작가의 애씀이 가슴에 와닿는다.

내 몸은 집 앞길 위에 '쿵' 하고 떨어졌다가 그 밑, 넝쿨로 뒤덮인 언덕 밑으로 데굴데굴 굴러 내려갔다. 언덕 아래 있는 집의 벽에 부딪혀 드디어 멈춘 나는 마치 죽은 듯 꼼짝할 수가 없었다. 장독대에서 이 광경을 바라보고 있던 동네 아이들은 내가 죽은 줄 알고 통곡을 하면서 방 안에 있던 언니를 불러냈다. 언니는 놀라서 아버지에게 전화했고, 아버지는 일하다 말고 급하게 택시를 타고 집으로 와서 나를 병원으로 데려갔다. 기적같이 입안만 조금 찢어졌을 뿐 몸에는 아무런 이상도 없다는 의사의 말에 그냥 집으로 돌아오기는 했지만, 다음 날 소식을 듣고 급하게 시골에서 올라온 엄마로부터 나는 또다시 호되게 야단을 맞아야 했다. "아이고, 계집애가 허구한 날 이렇게 말썽을 부리니 어떻게 하면 좋누?"
– 수필 「내 고향 수도 국산1」 중에서

박원옥 작가가 기적처럼 살아온 삶에서 가장 큰 힘이 된 것은 가족이요, 세 천사가 있기 때문이다. 그 기적은 바로 사랑에 기반한 작가의 어른답게 말하는 방법이 녹아있다.

작가는 나답게 말한다. 말이란 곧 '나'이기에 그렇다. 내 말이 소중하다고 믿고, 말이 거칠어지거나 투박해지지 않도록 끊임없이 주의를 기울인다. 그것은 사랑의 말이요. 긍정의 말이며 감사의 말이다.

작가의 글에는 오락가락하는 말이 없다. 오롯이 자기의 이야기로만 채우지 않았다. 그 안에 나와 관계를 맺고 있는 가족이 있고 사회가 있고 문화도 있다. 그 시대에 보고 느꼈던 많은 것들이 나와 함께 가족이 내용 속에 등장한다.

수필은 나를 기록하는 것의 다른 표현은 나의 흔적을 남기는 삶의 고백인 셈이다. 나를 기록하는 것은 나를 표시하는 일이요. 흔적을 남기는 행위다. 그 관계의 망 속에 존재하는 나, 나를 중심으로 형성된 관계의 망에서의 나의 흔적이다. 그 흔적을 남기는 기록 외에 가장 큰 비중을 차지하는 것이 바로 가족이다. 그런 의미에서 박원옥 수필집의 핵심은 가족의 역사. 가족 사랑의 기록이기도 한 것이다.

막내 녀석.
오늘이 만 19살이 되는 생일날입니다. 지난주에 월마트(Walmart)에 갔을 때 게임값을 알아봤는데 너무 비싸더라고 운을 띄웁니다. '형이랑 누나가 가지고 있는 저 비싼 게임을 혹시 엄마가 생일 선물로 사주지 않을까?' 겉으로 대놓고 말은 못 하지만 아마 속으로는 은근히 기대하고 있을지도 모르겠습니다. "야! 꿈에서 깨어나! 지금까지 엄마가 네 게임에 몇백 불 쓰는 것 봤냐?" 잔소리 한마디 해놓고 녀석의 머리를 한대 꽁 쥐어박았습니다. 녀석이 특별히 잘한 일도 없는데, 죽음의 문턱까지 갔다가 기적적으로 살아났다며 우리 직원들이 돈을 모아 생일 선물도 해주고, 주위에서들 녀석에게 얼마나 잘해주는지. 선물 받는 것이 습관화되면 녀석이 너무 공짜를 바라다가 일찌감치 빛나리가 되지는 않을까 걱정됩니다. (중략) 아픈 아이이기에 볼 때마다 마음이 짠하지만, 앞으로 살면서 더욱 어려운 일들이 많이 생길 텐데, 혼자서도 헤쳐 나갈 수 있도록 가르쳐야 한다는 부담감 때문에 아이에게 좀 더 엄하게 대하게 되는가 봅니다.
– 수필 「세 천사」 중에서

일찍이 두 부모님을 잃은 작가는 학교도 제대로 갈 수 없었다. 주경야독의 삶을 살면서 고등학교를 졸업하고 학업에 대한 열정으로 30년 만에 대학 졸업이라는 행복한 기적을 남긴다. 어린 나이에 결혼하고 엄마가 되었던 작가의 삶, 뜻하지 않게 찾아온 가정의 아픔, 죽음의 문턱까지 갔었던 막내아들의 오랜 투병 생활, 그리고 우울증으로 힘들었던 일과 믿었던 하나님을 오랫동안 떠났던 삶. 그러나 그 가운데에서도 하나님의 절대적인 사랑에 의존하게 되어 다시 일어나는 이야기, 한 마디로 행복한 기적이 아닐 수 없다. 그 행복한 기적에는 늘 감사의 마음을 담았다.

> 몇 시간 후, 중환자실에서 수혈을 받으며 투석 치료를 받고 있는 녀석의 얼굴에서는 다시금 혈색이 돌고 있었다. "야! 너 두 번 다시 엄마를 이렇게 놀라게 하면 죽을 줄 알아! 너 없으면 엄마는 어떻게 살라고? 나쁜 녀석 같으니라고." 농담 반 진담 반, 잔소리하는 나를 보며 녀석은 빙그레 웃었다. 병원을 옮길 때만 해도 35였던 적혈구(hemoglobin) 수치가(정상인은 120 정도) 27까지 내려갔고, 더더군다나 110-140이 정상인 크레아티닌(creatinine, 불순물) 수치는 2천이 넘는 숫자까지 올라갔으니, 이렇게 엄청난 양의 독소를 몸속에 품고 있으면서도 죽지 않은 것이 기적이라며 의사들과 간호사들이 모두 고개를 설레설레 젓는다. 녀석은 꼬박 일주일을 중환자실에서 보내고 나서야 일반 병실로 옮겨졌다.
> – 수필 「기적의 아이」 일부

박원옥 작가는 자녀 세 명의 아이들을 키우면서 기적을 경험했다. 작가의 말을 빌리면 죽고 싶다고 생각할 정도로 오랫동안 절망에 빠져 있었던 작가에게 살아야 한다는 의지를 갖게 해주었던 것은 바로 세아이들(Andrew, Alexis, & Adrian)이다, 이제 덧붙여 인생의 내리막길에 들어선 요즘 다시금 삶의 활동력을 불어 넣어주고 있는 것은 세손주(Mila,

Ashley, & Parker)다. 그들에게 감사와 사랑을 듬뿍 담아 글로 날마다 표현하고 있다.

박원옥 수필가는 1976년 4월 27일 캐나다에 단돈 30불을 들고 어머니와 언니 그리고 여동생, 그렇게 네 식구가 캐나다의 오빠를 찾아 이민을 왔다. 어린 나이에 아버지를 여의고 가난 때문에 한국에서 고등학교를 중퇴해야 했다. 더욱이 박원옥 작가는 캐나다에 와서도 갑작스러운 어머니의 죽음과 여러 가지 이유로 학업을 계속할 수 없었다. 그래서 정식으로 영어를 배우지 못했다. 하지만 그는 그에 머물지 않고 직장생활을 하면서 시간을 쪼개어 공부하여 나이 오십에 대학교 졸업장을 받는다. 직장에서도 인정받아 여러 번 진급도 한다. 그러나 이제 이순(耳順)을 넘은 나이가 되어 지금까지의 삶을 되돌아보면서 글을 쓴다. 그 글은 감사의 마음을 담은 기적의 글이다.

힘든 삶 속에서 쓰러질 때마다 하나님은 다시 일어설 수 있는 용기와 믿음을 주었다고 말한다. 고통의 삶 속에서 하나님을 만나 그분을 의지하며 삶을 되찾았다는 것이다, 이는 본인 자신이 스스로 기적이라고 말한다. 어쩌면 본인이 이렇게 수필집을 내는 이유는 자신처럼 어려운 상황에서도 기적을 경험할 수 있으리라는 신앙과 믿음을 증거하는 것이 아닌가 한다. 하나님을 믿지 않는 이들이 하나님을 개인적으로 만나 변화되는 귀한 일이 일어나기를 소원하는 것이다.

어쩌면 수필을 쓴다는 것은 이 세상을 살았던 사람으로서 흔적을 남기는 일, 사연 없는 사람은 없다. 그 사연과 함께 자신을 남기는 일이다. 내가 어떻게 살았는지, 우리 아이들은 어떻게 자랐는지, 함께 성장하고, 함께 했던 사람들은 누가 있었는지 수필로써 자신을 고백한다. 그 고백은 감사의 마음을 기록한다. 그의 수필집에 담아있는 '감사'의 어휘는 43번 등장한다.

수필의 글쓰기는 현재가 아니라 미래로 이어지는 것이다. 오히려 글을 쓴 이후에 그 생명력은 더욱 강하게 남아있게 마련이다. 왜냐하면 누군가는 나의 수필을 읽어주기 때문이다. 그리고 책으로 만들어진 기록은 영원히 소멸하지 않는 법다. 특별히 감사의 마음을 담은 그의 신앙고백은 수필에 그대로 담겨 고스란히 전한다.

글을 쓰는 일은 자신을 위한 자기 고백의 성격도 있다. 하지만 타인을 위한 것이기도 하다. 글이라는 것은 어차피 독자를 향하는 것이다. 독자가 읽어주기를 기대한다. 나의 삶과 경험을 기록하고 가족사를 기록하고 나와 관계를 맺었던 많은 이의 이야기가 등장한다.

장롱 깊은 곳에서 꺼낸 앨범이 아버지, 어머니, 아들과 딸, 그리고 손자들의 삶을 조명하고 증언한다. 비록 파편적인 기록일지 모른다. 그러나 사진과 글은 그들의 삶을 고스란히 증언한다. 그들의 삶을 통해 기억하는 일은 그들로부터 비롯된 현대사회는 물론 우리의 삶을 조망하는 일이다. 교과서나 역사학자들이 기록한 거창한 역사 속에서 결코 발견할 수 없는 이야기들이 수필에 담겨있는 것이다. 그래서 수필의 기록에는 작가의 지혜가 담겨있고 철학이 녹아있다. 여기에 켜켜이 쌓아놓은 노년의 경험이 발휘하는 영향력의 원천이 있다.

작가에게는 어릴 때의 추억, 이민 생활을 통해 느낀 점들,

우울증을 겪으며 힘들었던 날 등 어찌 보면 행복보다는 슬픔과 역경이 더 많았던 삶이었지만 그 힘든 과정에서도 차마놓을 수 없었던 작은 희망과 꿈도 있었다. 그것은 앞에서도언급했던 것처럼 감사의 삶이었다.

> 오열과 통곡으로 뒤덮인 서글픈 삶
> 한 발짝 내딛자니 절망의 끄트머리
> 바위틈 가느다랗게 피어나는 작은 꿈
>
> 숨죽여 바라보다 손 뻗쳐 잡으려니
> 훅 불면 사라질까 한 줌의 재가 될까
> 힘겹게 되돌아서다 접혀버린 꿈 날개
>
> 움켜쥔 손을 펴니 가슴이 두근두근
> 죽은 듯 숨어있던 새 꿈이 꿈틀대네
> 다시금 피어오르는 희망의 꿈 한 줄기
> – 시조 「절망의 벼랑 끝에서 피어오르는 꿈」 전문

꽃봉오리의 가능성, 발전과 성숙의 기쁨, 새로움에 대한 기대와 희망, 그리고 그 꿈은 얼마나 귀하고 아름다운가? 나의부족함과 아픔과 부끄러움이 사람들에게 더 매력적으로 보인다. 그곳에 사랑이 담겨 있기 때문이다. 사랑은 시간을 거스르는 힘이 있다. 사랑하면 아침부터 떠오르는 해가 유난히 반짝거리고 해마다 찾아오는 봄은 다르다. 늘 보던 사람이 달라보이고 곁에 있는 사람이 늘 새롭게 보인다. 사랑은 때마다기적을 일으킨다. 박원옥 작가에게 기적은 바로 사랑과 감사의 마음에서 비롯된다. 어떤 대상을 사랑하는 순간, 나이와

세월을 잊어버리게 된다. 이것이 사랑의 기쁨이다.

박원옥 수필가는 머리말에서 이렇게 말한다.

　어떤 이는 '이게 무슨 자랑이라고, 내세울 것도 없는 사람이 창피하지도 않은가? 무슨 이런 글을 써서 책을 출간하느냐?' 라고 말할지도 모릅니다. 맞습니다. 저는 소위 한국 사람들이 말하는 성공을 하지 못했습니다. 지금도 돈, 명예, 권력과는 거리가 먼 삶을 살고 있고 앞으로의 삶도 어찌 될지 장담할 수 없습니다. 꿈을 이룰 수 있다면 좋겠다는 간절한 마음뿐입니다.

　– 수필집의 「머리말」 중에서

박원옥 작가는 스스로 성공하지 못한 삶이라고 말한다. 성공한 사람들은 평화와 기쁨만 누리며 살 것 같지만 그렇지 않다. 성공한 뒤에도 불안과 어려움은 끝없이 밀려온다. 참 성공의 맛을 아는 사람은 어려움 속에서도 자유로움을 느끼고 고통 속에서도 참 기쁨을 누릴 줄 안다. 진정한 성공은 외부가 아니라 마음에 하나의 샘을 갖는 것이다. 그 샘은 바로 감사의 샘이다. 감사의 마음에서 사랑과 기쁨의 샘물이 끊임없이 솟아나게 하는 것이다.

오늘 애드리안과 대화를 나누는 가운데 질문을 했습니다.

"사람이 된 주목적이 뭐지?"

어깨를 으쓱하며 대답을 못 하는 녀석에게 "『목적이 이끄는 삶』을 읽었으면서도 그것도 기억 못 하냐?"라며 핀잔을 주었더니 멋쩍게 웃습니다.

"애드리안아. 네가 죽음의 자리에까지 갔는데 하나님께서 기

적적으로 너를 살려주시고 하나님의 능력의 손길을 직접 체
험하게 하신 이유가 있단다. 너는 앞으로 평생, 너를 기적적
으로 살려주신 하나님을 증거 하는 증인의 삶을 살아야 하는
거야. 알았어?"

(중략)

이렇게 야단은 쳤지만, 속으로는 "할렐루야!" 하나님의 일을
하고 싶어 하는 그 마음이 너무나 예뻐서 감사의 찬양이 솟
아오릅니다.

- 수필 「기적의 아이」 중에서

그런 면에서 박원옥 수필가는 글 쓰는 시인이자 수필가로
서 성공한 삶을 사는 것이리라.

어느 누구도 완벽하지 못하기 때문에 아무도 나에게 완벽
을 요구하지 않는다. 언제나 행복의 기적을 꿈꾸는 희망으로
사는 것이 아름다운 삶이 아닌가 한다.

소금기가 하나도 없는 생갈비 구이, 흰 쌀밥, 그리고 찐 옥수
수. 이것이 오늘 애드리안의 저녁 메뉴이다. 참으로 썰렁한
식단이다. 그런데도 녀석은 언제나 불평 한마디 없이 엄마가
만드는 것은 다 맛있다며 신나게 먹어준다. 물론 철저히 식
이요법을 지켜야 하는 녀석에게는 이렇게 해서라도 먹을 수
있다는 것, 그것 하나만으로도 감사한 일이겠지. "엄마, 엄마
는 오늘 저녁 식사 안 해요?" 접시를 내미는 나를 쳐다보며
녀석이 질문한다.

"응, 너 혼자 먹어. 엄마는 아까 낮에 밥을 많이 먹고 자서
그런지 아직도 배가 불러서 오늘 저녁은 도저히 못 먹겠구
나."

- 수필 「엄마의 손맛」 일부

자녀가 음식 탓하지 않고 맛있게 먹어주는 것으로 감사한 마음을 적은 수필, 이에 나타난 감사는 결과가 아니라 새로운 시작을 의미한다. 감사의 순간, 눈이 열리고 삶 자체를 귀하고 아름다운 선물로 보게 마련이다. 결코 감사는 과거나 현재 완료형이 아니다. 행복으로 가는 미래 진행형이다. 감사하는 순간, 감사가 가득한 새로운 행복이 열린다.

캐나다에 이민 오기 전까지 3년 정도 성남 한구석 달동네에서 사는 동안, 어머니는 우리가 세 끼니 식사하기 힘들 때에도 주위에 굶주린 사람이 있으면 그냥 지나치는 적이 없이 꼭 집으로 불러서 수제비 한 그릇이라도 나누어주곤 했다. "엄마! 나도 배고픈데 왜 저 사람들에게 우리 먹을 것을 나눠줘야 해?" 못마땅한 눈으로 내가 불평을 할 때마다 어머니는 이렇게 말했다. "우리는 그래도 두 끼라도 먹을 수 있으니 얼마나 감사하냐? 우리가 한 끼를 줄이면 저 사람들이 온종일 굶지 않아도 되잖아? 그게 바로 우리를 구원하시러 십자가에서 돌아가신 그리스도의 사랑을 나눠주는 거란다."
(중략)
그러고 보니 나도 어느새 쉰을 훌쩍 뛰어넘어 얼마 있지 않아 어머니가 세상을 떠났을 때의 나이가 된다. 그래서인지 요즘 들어 죽음에 대해 자꾸만 더 많이 생각하게 되는 것 같다. 앞으로 내가 얼마나 더 살지는 모르지만 남은 생이 지금까지 살아온 생보다 짧을 것은 분명하다. '내가 세상을 하직하게 될 때 과연 무엇을 남길 수 있을까?' 가끔 나 자신에게 질문을 던지며 좀 더 알찬 삶을 살아야겠다는 생각을 한다. 욕심이 많은 나는 아직도 이것저것 하고 싶은 일들이 참 많다. 하지만 가장 하고 싶은 일은 나도 어머니처럼 내가 받은 그리스도의 사랑을 주위에 있는 사람들에게 베풀며 살고 싶다는 것이다.
- 수필 「어머니의 유산」 일부

박원옥 수필가는 인생을 살아가면서 자신의 삶을 기적으로 믿고 있다. 그 기적의 삶을 작가는 감사의 마음으로 글을 쓴다. 그리고 자신이 신앙의 촛불이 되고 싶은 것이다. 한 개의 촛불은 다른 많은 촛불에 불을 밝히는 것이다. 촛불은 특이하게도 더 많이 옮겨질수록 다 함께 밝아지고 더 아름답다. 수필가가 자신의 삶을 감사의 마음으로 고백하는 것도 선한 축복이 아니겠는가. 선하고 착한 일은 다른 사람에게 전염되기 때문이다.

지금껏 박원옥 수필집 『절망의 벼랑 끝에서 피어오르는 꿈』을 살펴보았다. 필자는 그 느낌을 한마디로 표현하면 '감사한 삶에서 발견한 행복의 기적'이라고 말하고 싶다.

행복은 사람과 사람들 사이에서 만들어진다. 그래서 홀로 있을 때보다는 가족과 이웃이 함께 할 때 기쁨과 행복을 느낀다. 바로 서로를 그리워하는 행복, 함께 살아가는 행복, 나눔의 행복이다. 작가님의 건강과 행복을 기원한다.

## 3. 기다림과 그리움, 사랑이 빚은 행복

— 김지희 시집 『그냥 보고싶습니다』를 읽고

한 사람이 다른 한 사람을 만나 서로 사랑하는 것, 그것은 행운이자 기적이다. 무(無)에서 유(有)를 창조하고, 작은 것에서 거대한 사랑의 불길이 활활 타오르게 만드는 힘이 있기 때문이다.

어려서는 어른이 그립고, 나이 드니 젊은 날이 그립다. 여름이면 흰 눈이 그립고, 겨울이면 푸른 바다가 그립다. 헤어지면 만나고 싶어 그립다. 때로는 돈도 그립고, 사랑도 그립다. 돌아가신 부모님도 그립고, 가족이 그립다.

사랑은 그리움이고 기다림이다. 명제가 탄생한다. 어찌 보면 그 사랑 속에 진정한 믿음이 있기에 그것이 가능하지 않았을까?

진정한 사랑은 반드시 '기다림'으로 나타난다. 왜 그럴까?

기다림은 상대를 향한 사랑에서 비롯되기 때문이다. 나의 시간보다 상대방의 시간과 마음을 맞출 때 비로소 기다림의 미학이 생기게 된다.

김지희 시인의 두 번째 시집 『그냥 보고 싶습니다』는 그리움의 미학, 기다림이 담긴 사랑의 미학을 담고 있다.

모퉁이 홀로 피어
수줍은 겨울 꽃잎

겨울의 기다림은
무언의 약속이라

온종일
추위에 떨며
꽃을 피운 애달픔
- 시조 「겨울꽃」 전문

기다림이란 외롭고 힘들다. 온종일 추위에 떨며 사랑하는 사람을 기다리는 것처럼 상대방의 시간에 나를 맞추는 것이다. 상대방의 시간이 기준이 되어 거기에 나를 맞추어야만 '기다림'은 가능하다. 그것이 봄이든, 여름이든 아니면 겨울이든, 내가 누군가를 기다리는 그 시간만큼은 내가 중심이 아니라, 그가 중심이다. 그것이 사랑의 모습이며 배려의 모습이다. 기다림의 본질은 철저히 내 시간이 아닌 상대방의 시간에 맞추는 인내의 시간이다. 내가 주인이 되는 것이 아니라, 상대방이 중심이 되게 하는 것이다. 이 기다림은 믿음과 연관이 된다. 믿음을 가진 자는 끝까지 기다리는 자이다.

그가 정말 나를 사랑하는지를 확인하고 싶다면 기다리게
해보라. 여기서 모든 것이 결판난다. 왜냐하면 기다림의 본질
은 사랑의 본질이기도 하기 때문이다.

　　나무에 물오르면 반짝이는
　　그 봄날이 그립습니다
　　내 엄니 거친 손으로
　　등 긁어 주시던
　　그 손길도 그립습니다

　　어느 날 산길을 오르다
　　어느 큰 나무에 등을 대고서
　　실룩 실룩 문질러 보았지요
　　엄마 손 같은 느낌
　　마디가 굵어지고 논바닥 같은
　　내 어머니 그 손길이
　　오늘따라 무척이나 그립습니다

　　기다림
　　보고 싶은 그리움
　　꿈길에나 이루어지려나
　　오늘 밤도 무척이나 그립습니다
　　내 어머니 그 손길이
　　- 시 「그리움」 전문

　세상살이에서 '기다림'이라는 주제는 무겁고도 슬프다. '기
다림'은 인간의 연약한 모습의 또 다른 이면일 수도 있겠다.
인간은 유한한 존재이다 보니, 당연히 미래를 내다볼 수 없

다. 그래서 한없이 약하게 미래를 기다려야 한다.

　가끔, 나는 부산행 혹은 대전행, 동대구행 기차를 타기 위해서 행신역으로 간다. 생각보다 일찍 정거장으로 서두른다. 항상 예정보다 일찍 나와서 20분을 더 기다린다. 만약 내가 그 열차를 기다리지 않으면 목적지에 도달할 수 없다. 그곳에서 사랑하는 이와 달콤한 커피 한잔을 마실 수 없다. '기다림'은 앞으로 다가올 기회와 희망을 우리에게 가져다 준다.


　　조용한 시간 내 안을 파고드는
　　그 어떤 미동도 없는 마음속을
　　파고드는 실낱같은 그 느낌은
　　무엇일까
　　마음도 주위도 고요한데
　　가을은 성큼 눈앞에
　　와서 기다리는데
　　가을의 문은 열리지 않은 채
　　여름날은 계절을 잡고서 놓질 않으니
　　온통 먹구름으로 뒤덮여 하늘엔
　　물 폭탄으로 인간들에게
　　경고하듯이 내리붓는다

　　마음도 몸도 머릿속도 새하얀
　　지금 참 허전하다 무엇이 허전한 걸까
　　고독, 기다림, 외로움, 그리움
　　이 모두가 통일된 말인가
　　- 시 「혼자」 전문


　기다림은 떠남과 동시에 새로움의 또 다른 이름이라고 말하고 싶다. '기다림'의 꽃말을 가진 기린초와 달맞이꽃은 연인들 사이에서 인기 있는 꽃이다. 한 여인이 한 남자를 오래도록 기다리는 드라마의 장면처럼 꽃다발을 들고 사랑하는 이의 도착을 손꼽아 기다리는 한 사람, 그 기다림 속에는 무한히 많은 사랑과 애절한 행복이 녹아있다. 모두가 '기다림'이 우리에게 던져주는 메시지요, 선물이다. 이제 붉은 낙엽이 거리를 장식하게 될 것이다. 그리고 그 아름다움도 잠시, 혹독한 추위가 몰아치고, 눈보라가 우리를 차갑게 하지만 따뜻한 봄날이 우리를 손짓하는 시간도 기다려보자. 추위와 배고픔의 시간이 지나고, 인내와 연단을 통해 기다림의 가르침을 배운 우리는 그 과정에서 기다림의 가치를 배우게 될 것이다.

　되돌아본다
　남겨진 발자국엔
　그리움 가득 쌓인
　빈 잔 같은 것
　형체 없이 걸어온 길
　겉옷 한 벌 벗어버리면
　될 것을
　무겁게 짊어지고
　걸어 온 길
　바람에 꽃잎 날리듯
　하나둘 벗어버리자
　미련 없이
　- 시 「청춘」 전문

시인은 '청춘'을 '그리움이 가득 쌓인 빈 잔 같은 것'과 '겉

옷 한 벌을 벗어버리는 것'으로 표현했다. 미련 없이 버리자
고 했다. 하지만 그 그리움은 버릴 수가 없다.

봄날에 꽃피었다고
그 꽃이 아름답다고
내 마음 꽃향기에
취했다고
그리움이 떠나갈까

벌 나비 춤춘다고
그 춤사위에 내 마음
내려놓을 수 있을까

꽃밭 속에 묻혀서
내가 꽃인 양
어우러져 향기 맡는다고
그 그리움이 씻기어져 갈까
- 시 「꽃향기 속의 그리움」 일부

그렇기에 그리움은 기다림이 필요하다. 하지만 기다림은 결
코 쉬운 일이 아니다. 힘들고 고통스러운 일이다. 조급함과
싸워 이겨야 하고, 불안과 싸워 이겨야 한다. 그래서 일부 사
람들은 기다림을 견디지 못하고 포기하곤 한다. 기다림을 싫
어하고 심지어 피하려고까지 한다. 그런데 기다림은 비록 힘
들고 고통스럽다. 하지만 기다림의 결과는 너무도 귀하다. 끝
까지 인내하고 이루어 낸 사람들은 그 복되고 귀한 결실로
큰 기쁨을 누리게 된다.
그래서 '기다림의 미학'이라고 말하지 않던가. 바로 '기다림

은 아름다움'이라는 뜻이다. 비록 기다림이 그 과정에서 고난이 있지만, 그 고난은 헛된 고난이 아니고 의미 있는 고난이다. 행복을 잉태하는 고난이기에 기다림이 아름답다는 뜻이다.

얼마 전, 경기도 광주 곤지암에 사는 이종갑 시인이 봉숭아씨를 내 근무지로 보내왔다. 그리고 내가 가르치는 학생들에게 봉숭아 씨앗을 나누어주었다. 그리고 잘 키워서 화분에 담아오라 했다. 코로나로 인해 힘겨운 생활에서 무엇인가 자연의 희망을 경험하고 싶어서였다. 자연이 인간의 스승이 아니던가. 우리 모두 자연 생태계를 경험하는 소중한 시간이 되리라 생각했다.

우선 작은 화분을 준비했다. 마침 텃밭에 황토와 마사토가 있어서 화분에 채웠다. 그리고 물을 붓고 씨를 심었다. 며칠이 지나자 싹이 나왔다. 그러면서 매일 조금씩 자랐다. 한 달보름쯤 지나자 제법 그럴듯한 봉숭아가 꽃 피었다.

제가 봉숭아를 키우면서 가장 먼저 배운 것은 믿음이다. 저는 씨를 심어놓고 "정말 싹이 날까?" 반신반의했다. 그런데 며칠 뒤에 싹이 나는 것을 보고서는 "어, 정말 싹이 났네"하며 감탄했다.

제가 봉숭아를 키우면서 또 하나 배운 것은 인내이다. 기다리고 참고 기다려야 한다는 것이다. 씨를 뿌리고 싹이 나기까지 기다리기가 쉽지 않다. 조바심이 나서 하루에도 몇 번을 들여다봤는지 모른다. 이틀이 지나고 사나흘이 지나면서 저도 모르게 참고 기다리게 되었다. 며칠이 꽤 지나서 봉선화가 꽃필 때쯤에는 마음에 인내의 꽃이 하나씩 피는 듯했다.

여름 오는 길목에
싸리나무 마디마다
연보라 입술이 열리는
작은 입 모양이
예쁘기도 하지

가을날이 넘어가면
꽃잎 떨어지고 잎이
단풍 되어 떨어질 때면
바지게 가득히
싸릿대 나무는 다발다발
실려 온다

아버지의 사랑채는
언제나 싸릿대 조릿대로
바소쿠리 봉태기
아버지 손은 요술 손이었다

지금도 아버지의
유품 아닌 유품이 되어
남겨진 지금은
싸리꽃이 필 때면
아버지의 그 손놀림이
그려지고 그분이
너무 그리워진다
나의 아버지
- 시 「싸리나무」 전문

해마다 봄이 되면 아버지의 유품으로 남은 싸리나무를 만나는 감회는 어떤 모습일까? 상상하는 것 자체가 가슴을 울린다. 하지만 시인은 싸리나무에서 희망을 만나고 그리움을 만나면서 기다림을 배우고 있는 것은 아닐까?

> 하늘에 은초롱 불
> 또로롱 불 밝히고
> 보름달 기다리며
> 길마중 나섰더니
> 환한 불
> 그 미소 속에
> 새 희망이 떠오르네
> – 시조 「밤하늘」 전문

보름달을 기다리는 시인의 마음을 통해서 그 기다림은 바로 긍정적 의미를 지닌 희망임을 발견할 수 있다. 어둔 밤에 불 밝히는 은초롱 불을 밝히면서 보름달을 기다리는 마음, 어쩌면 시인이 기다리는 그분이 오시는 것은 아닐까?

스페인어로 '기다린다'는 동사가 'espara'이다. 그런데 재미있는 것은 이 동사가 다른 뜻으로도 쓰이는데 그것은 바로 '희망하다'라는 것이다. 왜 스페인사람들은 이렇게 어휘를 사용했을까요? 아마도 약속을 믿고 기다리다 보면 희망이 싹트고 꿈을 가지게 될 것을 이미 알고 있었기 때문이 아닐까?

> 봄날에 꽃피었다고
> 그 꽃이 아름답다고
> 내 마음 꽃향기에
> 취했다고

그리움이 떠나갈까

벌 나비 춤춘다고
그 춤사위에 내 마음
내려놓을 수 있을까

꽃밭 속에 묻혀서
내가 꽃인 양
어우러져 향기 맡는다고
그 그리움이 씻기어져 갈까

꽃 사랑에 묻어버리려고
안간힘을 써보지만
그리움은 사라지지 않네

꽃향기 속으로 그리움도
묻어버리고 싶다
  - 시 「꽃향기 속의 그리움」

　　그래서 기다림은 그리움이다. 그 그리움은 아무리 해도 사
라지지 않는다. 꽃이 피는 그 향기 속에서 그리움을 묻고 싶
어도 묻어버릴 수 없다. 시인이 말한 것처럼 안간힘을 써도
그리움은 사라지지 않는다. 그리움은 아지랑이가 되어서 나에
게 돌아오고 눈 비비고 바라보면 안개 속으로 사라지는 것
같지만 슬픈 별로 내 발등으로 내 가슴에 자리잡는다.

　　가물거리는

아지랑이 속으로
살며시 다가오다

보고픈 이
눈 비비고
바라보니

어느새 희미한
안개 속으로
사라져 버렸네

그리움도
보고 싶음도
그저 안개 속으로
멀어져 가고

슬픈 별은
내 발등으로
내려앉는다
– 시 「보고프다」 전문

  그 때문에 시인은 봄을 기다린다. 사랑하는 그대가 그리워서 봄을 기다리는 것이다. 그냥 그대가 그리운 것이다. 조용필의 노래 '그 겨울의 찻집'을 부르면서 봄의 향기를 느끼고 사랑하는 이의 두 손을 꼭 잡고 함께 옆에 있고 싶은 것이다.

  봄꽃 활짝 웃는 날
  한 잔의 차를 들고
  봄날을 마시고 있답니다

그 속에 당신 모습이
보입니다

당신과 두 손 꼭 잡고 앉아
봄의 향기를
가득 느끼고 싶습니다

그저 떠오르는 모습이 아닌
진정 그대가
옆에 함께하면 좋겠습니다

그 겨울의 찻집
조용필 노래가
오늘따라 심금을 울립니다
이럴 땐 그대와
함께라면 참 좋겠습니다

그대 보고 싶습니다
– 시 「그냥 보고싶습니다」 전문

　그렇다면 그 기다림의 대상은 도대체 무엇일까? 세상을 떠
난 어머니나 자녀일 수도 있고, 사랑하는 이가 된다. 그들을
기다리는 마음과 만나고픈 마음에는 고독, 그리움, 외로움,
기다림이라고 말한다. 여기서 우리가 주목해야 할 것은 그 기
다림과 그리움은 바로 사랑이 전제되어야 한다는 것이다. 그
사랑은 꽃을 피우는 희망을 품고 있다.

　청량한 계곡 소리는

마음의 때를 씻어 내리고
오가는 오솔길엔
내 근심 내려놓을 곳

봄날의 바람은
백설도 녹여주니
여름날에 녹색 푸르름은
가을날에 오곡백과 넘실거려도
길 문을 열어주니

동절기 설한풍도
봄눈 녹듯이 포근히
감싸 안아 내 마음에
봄 꽃피우리
 - 시 「사계절의 사랑」 전문

　동절기 설한풍 속에서 봄꽃을 피우는 시인의 마음, 근심을
내려놓고 나의 길 문을 찾아가는 그 시인의 기다림과 그리움
이 바로 김지희 시인이 추구하는 삶이 아닐까 한다.
　결론적으로 필자는 김지희 시인이 두 번째 시집 『그냥 보
고싶습니다』에 나타난 시심은 바로 그리움과 기다림의 사랑
이 빚은 행복을 꿈꾸는 것이라고 말하고 싶다. 그는 지금 열
정적으로 시조를 배우고 있고 서화를 배우고 있다. 매우 놀랄
만큼 뛰어난 성장의 모습을 보여주고 있다. 특별히 기쁜 일은
최근 (사)한국문화예술진흥협회에서 주관하는 2021 대한민국
부채 공모전에서 세 작품이 입선했다.
　그의 배움의 열정에 다시금 응원한다. 그의 건강과 건승을
기원한다.

# 4. 행복꽃을 피우는 사랑의 힘

– 양영순 시집 『꽃이 피는 날』을 읽고

"아름다운 삶이란 싹을 틔우는 것이다. 그 싹을 틔우는 힘은 바로 사랑에서 나온다."

이는 빈센트 반 고흐(Vincent van Gogh)가 한 말이다. 얼마 전 씨앗이 흙을 밀고 올라와 싹을 틔우는 모습을 직접 본 적이 있다. 그 초록의 모습이 얼마나 아름답고 숭고한지 그만 감탄사를 연발한 적이 있다.

　씨앗을 만드는 동안
　얼마나 고통 속에
　여닫으며 살아갈까

　까아만 씨앗 속

분처럼 하이얀 가루
아낙네 얼굴이 생각난다

꽃잎이 없는 밤에
활짝 피는 꽃
소심하게 수줍어 웃는다
 - 시 「분꽃」 일부


아름다운 삶이란 바로 이런 삶이리라. 어둡고 딱딱한 땅을
뚫고 나와서 세상을 향해 두 팔을 벌리는 아름다움, 마침내
멋진 꽃을 피우는 삶, 호기심을 가득 안고 날마다 긍정적으로
살아가는 삶, 이 모든 것은 어쩌면 사랑이 있어야 가능하지
않을까?

양영순 시인은 2020년 봄, 계간 글벗에 시 부문에 「소녀
의 꿈」 외 2편으로 당선되어 글벗문학상 신인상을 받으면서
등단했다. 그는 현재 요양보호사로 활동하면서 살아온 인생의
다양한 경험을 꽃과 자연 등 다양한 인생의 모습을 글로 표
현하고 있다. 삶의 연륜에서 풍기는 긍정과 소망의 시심은 새
로운 삶을 꿈꾸게 한다. 그것은 어쩌면 시인의 인생의 새로운
봄을 맞이하는 기쁨으로 표출하고 있는지도 모른다.

이 모든 일은 사랑이 있어야 가능하다. 양영순 시인의 시를
분석하자면 세 가지로 분석할 수 있겠다. 그 세 가지는 자연
에 대한 사랑, 인생에 대한 깨달음, 그리고 이웃 사랑이다.
이 사랑이 인생의 모든 싹을 틔우고 행복의 꽃을 피우게 하
는 힘이라고 할 수 있다.


아름다우리 민들레 고운 꽃

섬세한 모습에 발걸음을 멈춘다

아무렇게나 피어
따뜻한 양지쪽으로 고개를
살포시 내밀고 있다

포자를 퍼뜨리며
몸을 펼쳐 희생하는
민들레꽃

생명의 근원 모퉁이
조용히 사랑의 밀어를 속삭인다
내일을 향해
– 시 「민들레」 전문

첫 번째로 양영순 시인의 시는 자연의 사랑을 담고 있다. 시 「민들레」에서 느껴보는 것처럼 시인은 자연을 향해 은근하면서도 조용히 사랑의 밀어를 속삭인다. 그런데 자연을 사랑하는 것에 머물지 않는다. 민들레처럼 자신의 몸을 펼쳐서 사랑을 펼치는 그 모습을 보면서 내일의 삶을 꿈꾸는 것이다.

양지바른 산기슭
좁쌀을 튀긴 모습으로
붙어서 피는 꽃

올망졸망
다닥다닥
피어있는 모습

순수함의 상징 같은
하얀 꽃
무리 지어 피어있다

볼 때는 연약하지만
진실과 성실함으로
단정한 사랑

노력했는데도 헛수고로
물거품이 되지만
순백의 매력덩어리
– 시 「조팝나무」 전문

연약하지만 진실함과 성실함으로 사는 삶, 시인은 이를 단정한 사랑이라고 말한다. 때로는 열정의 수고가 물거품이 되는 아픔 속에서도 이를 극복하는 인생과 유추하여 긍정의 이미지를 발현하고 있다. 이는 양영순 시인이 지닌 독특한 매력이 아닐까 한다.

산기슭
환하게 빛나며
예쁘게 핀 꽃

진실로 어여쁜 마음
모든 거짓된 것들은
사라져 버리는 듯

용서하며
사랑의 굴레를

벗어나지 못한다

신비로운
꽃분홍 연분홍 다홍색
아름드리 피어 있네

언제 보아도
보암직하고 먹음직한
개복숭아

나는 영원히 당신의 것이요
– 시 「복사꽃」 전문

　자연은 우리를 사랑으로 안내한다. 자연 안에는 우리가 배워야 할 것들이 참으로 많다. 첫째는 지혜로움이다. 씨앗에서 열매에 이르기까지 모든 성장과 움직임은 놀랍도록 신비롭다. 개복숭아는 말한다. "나는 영원히 당신의 것이요"라고. 인생은 용서하면서 사는 삶, 나누는 삶이다. 인생도 자연에 속한다. 모든 자연은 사랑의 굴레에서 벗어나지 못한다. 그래서 자연은 부드럽고 따뜻하다.
　시인은 자연에서 그렇게 사랑을 배우고 인생을 배우고 행복을 꿈꾸는 것은 아닐까?

뒷동산 흔히 피던 꽃
그 꽃을 따다 먹던
그리움

보랏빛 향내를 맡으며
달콤함을 빨아먹던

우리들

꿀샘 있어 꿀이 나네
벌 나비 벌레를 통해
수분이 생기는 꽃이여

꿀 같은 달콤함의
사랑을 간직한다
그리운 임 향기처럼
– 시 「꿀꽃」 전문

"우리는 신을 본 사람은 없다. 다만 우리가 서로 사랑한다
면 신은 우리 가슴에 머물지 않을까."

이는 톨스토이가 한 말이다. 서로 사랑하면 기쁨이 있고 평
화가 있는 법이다. 서로 사랑하면 어떤 고통이 밀려와도, 어
떤 슬픔이 찾아와도 이겨낼 수 있다. 사랑이 있는 곳에 신이
머물고 있기 때문이다. 시인은 자연과 꽃을 보면서 늘 추억을
떠올리고 그리움의 시를 쓴다. 그 순간은 시인의 가슴에도 절
대자가 머무는 것은 아닐까. 그의 시에서 사랑의 흔적, 삶의
흔적을 찾아보자.

우리가 살아가면서
삶이란 매일 매번
그때를 생각 없이 가기도 하고

고독이 지금 내 안에
존재 의식으로 언제나 원형을 그리며
늘 아쉬움으로 보낸다

우리가 살고 있는
지금은 흔적이다
사랑도 삶에 표현도
지금 이 순간도

표현하기 위해 너에게 말한다
그래, 영원이란 없지만
또 한 그리움은 흔적이다
- 시 「흔적」 전문

　둘째로 양영순 시인의 시적 양상과 철학은 인생을 사랑하면서 얻은 깨달음에서 출발한다. 그러기에 이렇게 시를 쓰고 인생의 흔적을 남기는 것은 어쩌면 바로 자신을 사랑하는 과정이 아닌가 한다.
　진지하게 시인에게 묻고 싶다. 왜 글을 쓰느냐고? 시인은 다시 배움에 임할 수 있고, 봉사하는 아름다운 일도 할 수도 있다. 어르신들을 돌보는 요양보호사라는 직업에 집중하면서도 또 다른 멋진 삶을 꿈꿀 수도 있다. 그런데 왜 굳이 글을 쓰는 일에 집중하는가? 시인은 이렇게 대답한다.
　"인생은 아무 생각 없이 가기도 하지만 고독이 지금 내 안에서 존재 의식으로 언제나 원형을 그리면서 아쉬움으로 보냈다. 나의 인생 이야기를 들려주고 그것이 어떤 의미인지 말할 수 있는 사람은 오직 나 자신뿐이다. 따라서 우리가 사는 지금은 우리의 흔적일 뿐이다. 그래서 사랑도 삶의 한순간도 표현해야 한다. 인생에서 영원이란 없지만 그리움은 흔적이라고"

　가을바람에 살랑살랑

바람에 흩날리는 이파리
갈색 머리에
댕기 묶은
아가씨 같다

치렁치렁 하늘하늘
여자의 마음
쓰러질 듯
머리를 풀어 헤치며
자태를 세운다

가을의 스산함이
느껴지지만
계절을 느끼며
자연의 고마움에
마음을 표현한다

인생도 억새의 모습도 차츰
익어가는 걸까
황혼에 젖어 들 때
아름다움이 더욱
극치를 이룬다
- 시 「억새」 전문

시인은 인생도 억새의 모습처럼 익어가고 황혼에 젖어들 때 아름다움의 극치를 이룬다고 비교한다. 시인은 억새에 유추하여 인생을 글로 표현한 것이다. 인생을 자연에 담은 것이기도 하지만 인생을 사랑하는 마음으로 담은 것이도 하다.

시인의 또 다른 시 「담쟁이」를 살펴보자.

연한 새싹
담벼락에 끈질기게 달려있다
무리 지어 사는 덩굴
아름다운 매력이다

끌어당기는 힘을 가진 덩굴
앞으로 나아간다
한 덩굴 두 덩굴
담벼락에 붙어서
생명을 유지시킨다

담쟁이를 생각하면
고단한 세월 앞에
인력의 법칙
서로 끌어당기는 모습
참 아름답다

싱싱한 모습으로
단결하는 모습
인생도 세월 속에
서로 어울려
사랑으로 인내한다
- 시 「담쟁이」 전문

   시인은 인생을 '더불어 살면서 사랑으로 인내하는 삶'이라
고 말한다. 서로 끌어당기고 단결하는 모습이라고 했다. 시인
은 시집 서두에 작가의 말에서 이렇게 말한다.

   "인생에 있어서 가장 중요한 건 누구를 만나는 가에 따라

결정된다고 하는 게 생각납니다. 글벗문학회를 만나 글벗 사랑으로 사랑이 꽃처럼 피어났습니다."

사랑과 인생은 같은 크기를 지닌다. 한 사람의 인생은 그 사람의 사랑 역사이기 때문이다. 오직 사랑만이 그 인생을 채울 수 있다. 그래서 시인은 아름다운 사랑의 시, 행복의 시를 쓰는 것은 아닐까? 그는 어제도, 오늘도 축복의 시, 사랑의 시를 끊임없이 쓰고 했다.

인연으로
맺어진
백년가약

살다 보면
한 번쯤은
지나간다

나와의 삶
희로애락의
감동으로

백 년의 약속
천년이 가도
변함없는 마음

외로움 없는
고마운 사랑
고운 사람
- 시 「축복」 전문

우리는 사랑하기 때문에 살고 있다. 사랑이 없다면 고마운 사랑도 만날 수 없었고 아름다운 약속도 할 수도 없었다. 그러기에 시인에게는 글 쓰는 일이 인생에서 가장 큰 축복이었으리라.

높은 구름 갈바람
파랗게 익어가는
청포도 사랑
공간과 공간 사이

나지막한 목소리로
자기만의 표현
만남 이별 그리움으로
사랑을 표현한다

자연으로 만들어진
무채색 옷
아름답게 엮여가는
사랑의 굴레

어렴풋이 다가오는 현실
그리움에 애타며 막막한 모습
자연은
마음을 행복하게 한다
- 시 「사랑」 전문

인생은 만남, 이별, 그리움이 있는 사랑이다. 인생을 표현하는 수단으로 자연이 함께 하는 것이다. 자연이 나를 행복하게 하고 나는 자연과 함께 사는 것이다.

가장 행복한 건 지극히 평범한 것이다.
하루하루 보람 있는 생활이야말로
우리가 최선을 다했다고 할 수 있지 않을까?

난 이래서 행복하고 넌 그래서 행복했다.
잊지 못하는 것 잃어버리지 못하는 것들
누구를 위해서가 아니라 내 자신을 위한다

지극히 낮은 곳에서 한발 물러나 생활하는 것
또 다른 어떤 모습에서 진정한 삶을 느끼고
살아간다면 우린 더 이상의 것을 바라진 않겠지요

가진 것 많지 않아도 마음이 부자
삶의 소용돌이 속에서 늘 소중하게 살아간다면
우린 슬퍼할 시간도 없이
그냥 물 흐르는 데로 거침없이 살아갈 것이다

오늘도 하루 행복한 일상
 - 시 「행복」 전문

나 자신을 사랑하지 않으면 행복할 수가 없다. 하루를 평범하게 보람 있는 삶을 위한 최선을 다하는 삶, 그냥 물 흐르는 데로 거침없이 살아가는 것, 그것이 인생이라고 시인은 말한다. 자신의 인생을 사랑하는 삶인 것이다.

보랏빛

라일락꽃
향기가 코를 찌르고

아카시아꽃
아늑한 거리를 배회하며
지나가던 아름다웠던 길도

청명한 소리로 지저귀는
산새들이 조잘대던 길
멋진 추억이란 모습으로 담으렵니다

이별의 슬픔도 마다하지 않고
지나가 버린 세월
소중하게 사랑하며 살아가리라
- 시 「오월」 전문

자연과 더불어 살아가는 삶, 멋진 추억의 길이다. 이별의
슬픔과 덧없음도 있지만 소중하게 사랑하며 사는 것이 시인
이 꿈꾸는 삶이 아닐까 한다.
셋째로 양영순 시에서는 이웃 사랑의 삶이 돋보인다. 그의
시에는 글벗은 물론 이웃, 그리고 가족과의 아름다운 동행,
행복한 동행을 꿈꾸고 있다.

딩동딩동
벗이 생각나
몇 날 며칠을 긁적인다

늘 가슴 속 깊은 곳

자연을 통해 알 수 있는
사랑의 굴레

애환, 그리움, 사랑을
하이얀 백지에
상상력을 초월한다

영원히 존재하는
오선지의 붉은 추억
글벗 사랑
– 시 「글벗 사랑」

　인생은 장거리 여행이다. 그래서 먼 길을 가려면 좋은 동행
인이 필요하다. 혼자서 그 먼 거리를 감당할 수는 없기 때문
이다. 더불어 많은 시간이 필요하다. 사람과의 관계이든, 일
이든, 지혜이든, 그것을 알고 소유하기까지 오랜 시간이 걸린
다. 그래서 빨리 갈 수가 없다. 이 때문에 좋은 이웃이 필요
하다. 가족과 친구가 필요하다. 내 마음과 몸이 그들에게 깊
이 의지하고 있기 때문이다. 그들 덕분에 오늘도 무사히 길을
걷고 있다.

　아름답다 그 이름
　꽃이라 하더라

　아무리 곱다 한들
　사람꽃만 하겠는가?

　꽃이 아무리 아름다워도

사람꽃이 있어야
빛이 난다고 하더이다

벌과 나비와 향기를
온몸에 가지고 있어도
사람꽃이 없으면
그 누가 알아줄까?

아름다운 마음은 풍성한 기쁨
산과 들, 사막에도 꽃이 핀다
- 시 「사람꽃」 전문

시인은 사람꽃이 가장 아름답다고 말한다. 자연을 알아주는
것은 바로 사람뿐이기 때문이다. 아름다운 마음을 지닌 존재
로 사람꽃을 파악하고 있다. 따뜻한 마음일 때 사막에도 꽃이
핀다는 것이다. 그것은 어쩌면 자식을 생각하는 어머니의 사
랑이 아닐까?

가진 것은 없어도
모진 고통 참아내며
자식을 위해 일하시던 부모님!

남에게 뒤처질까 봐
몸이 부서지며
아픔을 무릅쓰고
자식 사랑 이루셨던 우리 어머니
(중략)
벌써 내가 어머니가 되어
자식을 위해 희생하며 살아갑니다

(중략)

세상의 부모님들의
일상이겠지요
- 시 「어머니」 일부

내 인생은 어머니의 사랑으로부터 시작되었다. 그분이 계셨기에 내가 있고 또 내 자녀가 있는 것이다. 그래서 마침내 내 인생의 꽃이 핀 것이다. 그 꽃은 바로 행복이 아니었을까?

넓디넓은 바다
아름다운 섬
멀리 보이는 수평선

노오란 주황빛
노을빛이 물드는
황홀한 저녁노을

다정한 임과 함께
바라보던 수평선
행복한 모습으로
자연의 오묘함을 맛보리라

아무런 욕망도
사심도 없이
사라져가는 석양

서로의 아픔을 잊고
아름다운 노을의

황홀함을 느끼며
노을처럼 맑은 모습으로…
    - 시 「노을」 전문

　이제 시인은 아름다운 저녁노을을 꿈꾼다. 다정한 임과 함
께 행복한 모습으로 자연을 만끽하며 살고 싶은 것이다. 이제
욕심은 다. 이웃과 함께 서로 아픔을 잊고 아름다운 노을의
황홀함을 느끼고 싶은 것이다.
　이상에서 살펴본 바와 같이 양영순 시인의 시적 경향은 들
꽃을 중심으로 한 자연에 대한 사랑, 자신의 삶을 사랑하는
태도, 그리고 이웃 사랑을 통한 행복한 동행을 꿈꾸고 있다.
　첫 시집 「꽃이 피는 날」은 그런 의미에서 인생의 행복꽃
을 피운 첫출발이라는 점에 주목하고 싶다. 지속적으로 그의
문학적인 큰 발걸음을 기대한다. 우리의 고유의 시가인 시조
에도 관심으로 도전해 보기를 권한다.
　다시금 그의 건승과 행복을 응원하고 축복한다.

# 제4부
# 사랑과 감사

# I. 자연에서 찾은 사랑과 감사의 행복한 울림

- 송미옥 시인의 두 번째 시집 『돌담』을 읽고

아름다운 삶, 행복한 삶에는 어떤 원칙과 기준이 있을까? 빈센트 반 고흐(Vincent van Gogh)의 말을 빌리면 "아름다운 삶이란 싹을 틔우는 것이다. 그 싹을 틔우는 힘은 바로 사랑에서 나온다."라고 했다.

그러면 '사랑'은 도대체 어떤 가치를 지니고 있는가? 삶에 대한 사랑, 나에 대한 사랑, 그리고 이웃과 자연에 대한 사랑이 아닐까?

송미옥 시인의 두 번째 시집 『돌담』의 100편의 시를 탐독했다. 그 감회를 말하면, 제주도라는 자연을 통해 얻은 "사랑과 감사의 행복한 울림"이었다.

송미옥 시인은 제주도에 거주하는 시인이다. '책갈피 속 풍

경'이라는 북카페를 운영하고 있다. 그 때문인지. 그의 시에
는 시의 소재로 제주도의 자연인 바람, 하르방, 바다가 자주
등장한다. 그렇다면 그의 시에 드러난 핵심적인 가치는 무엇
일까? 분석한 결과, 사랑(28회), 감사(17회), 행복(11회), 희
망(6회)이다. 이에 필자는 그의 시적 특징을 제주도라는 자
연에서 찾은 사랑과 감사, 그리고 행복이라고 말하고 싶다.
다시 말해 송미옥 시인의 시는 자연에서 얻는 깨달음, 곧 진
리 탐구일 수밖에 없다. 진리 탐구는 자연의 형상과 사실을
바탕으로 깨달음과의 교섭에서 비유적인 언어, 영탄적인 언어
가 매개로 등장한다.

　　바스락
　　들릴 듯 말 듯 목소리
　　귓가를 간지럽힐 때

　　찌르르르
　　수풀 사이 풀벌레 소리
　　종일 울어대는 석쉰 목소리

　　눈이 부시게 푸른 하늘에
　　흰 구름 두둥실 춤추는 소리

　　스적스적 들려오는 소리
　　향기롭게 물드는 소리
　　오, 자연이 익어가는 소리

　　소슬바람 맑게 춤추는
　　신비스러운 생명의 소리

구석구석 귓맛도 참 좋아라
– 시 「가을의 목소리」 전문

시인에게 있어서 자연의 소리는 신비의 소리, 생명의 소리로 다가온다. 시인은 가을의 목소리를 '자연이 익어가는 소리'라고 말하면서 "귓맛도 참 좋아라"라고 표현한다.

자연은 우리에게 하나 되게 하는 가르침을 준다. 그 때문일까? 시인은 길가의 나무와 꽃, 그리고 바람에게 말을 건넨다. 한마음이 되고 싶은 것이다.

서럽게 우는
하늘의 마음을
먼지만큼도
알지 못하는 인생

맑은 날만 계속되면
비와 구름의 고마움을
모르는 법

먹구름에 천둥 번개가
요란하게 쳐야만
해의 깊이를 알 거야

자연의 조화로움 속에서
생과 사의 사계처럼
지혜와 만족을 찾아가는 것이
살아가는 멋이 아닐까

변화무쌍한 환경이라야
아름다운 삶이 엿보이더라
- 시 「비 오는 날의 묵상」 전문

　시인은 인생을 자연과 빗대어 표현한다. 비와 구름이 있고,
먹구름과 천둥 번개가 있어야만 해의 깊이를 알 수 있고 자
연의 조화로움 속에서 지혜와 만족을 찾아간다고 했다. 그것
이 바로 살아가는 멋, 변화무쌍한 자연 속에서 경험하고 깨달
은 삶의 진리라고 말한다.

　푸른 시절 뒤로 한 채
온기 없는
메마른 상념은

부는 바람 따라
흔들리는 가지에는
마지막 그리움 남아 있다

떨리는 숨결은
힘든 매달림에
허공 같은 한숨을 쉬고

돌아서는 누군가의 발걸음은
남겨진 추억처럼
서녘 빛 그림자로 비끼고

찬 구름 사이에
애처로이 남아 있는

가을 한 조각
- 시 「마지막 잎새」 전문

    제주도의 삶의 지배적인 조건은 '바람'이다. 해마다 다가오
는 바람은 봄의 샛바람, 여름의 마파람, 가을의 갈바람, 겨울
의 북풍이 제주 바다에서 불어온다. 바다에서 뭍으로 불어오
는 바람은 수많은 오름과 산골짝을 휩쓸어 올라가거나 혹은
치달아 내려간다.
    바로 제주도에는 어디를 가나 바람이 존재한다. 하지만 제
주도의 삶과 정서는 바람에 불려 흩어지는 것이 아니다. 끝끝
내 땅에 둘러붙는다. 바람이 부는 나뭇가지는 물론이고 꽃과
땅에도 마지막 그리움이 남아있는 것이다. 섬은 인간의 한 생
애와 역사가 꿈꾸어온 이상향을 담은 그리움의 바다 위에 떠
있는 것이다.

    살랑살랑
    파란 바람이 불어온다

    계절마다
    바람의 색깔이 다른가 보다
    때로는 하얗게 파랗게
    가끔은 빨갛게 노랗게 부는 걸 보면
    어디를 가나 바람이 분다
    섬의 뿌리는 단단해지고
    가녀린 가지는 하느작하느작

    바람도 가끔은

구름처럼 떠돌다가 시간을 잊는다

산새 소리에 취해 잠을 자다가
안개 속 제주 섬 키우는 바람
내 몸을 스치면

어느새
멍청하게 바람과
하나가 되어가고 있다
- 시 「제주도의 바람」 전문

　제주도의 옛 구전 노래에는 한라산의 나무들이 노(櫓)가
되어 부러져나갈 때까지 배를 저어 이어도로 가자고 절규한
다. 제주인들의 이어도는 바람이 불지 않는 땅, 인간의 목숨
이 바람의 앞에 풍화되지 않는 어떤 섬인 것이다.
　제주도 사람들은 바람이 잠든 날 죽는 죽음을 생의 마지막
사치로 여기고 있다. 다시 말해 바람이 잠들고 바다가 잔잔한
날 죽는 사람의 영혼은 천당에 가는 것으로 믿고 있다. 시인
이 말한 것처럼 '바람과 하나가 되는 삶'을 살고 있는 것이다.
경작지 한복판이나 산비탈에 돌담을 쌓고 누운 제주의 많은
무덤 위로 바람은 끊임없이 불고 있기 때문이다.

아름다운 꿈이 있는 사람은
언제나 행복하다

그 꿈을 하나씩 이루는 과정은
너무나 가슴 벅찬 일이지만
시로 돌담을 쌓아야겠다

시는 마음을 비추는 거울이니까

돌담처럼 빈틈 많은 나이지만
누군가의 마음에
잠시라도 스쳐 갈 수만 있다면
마냥 모든 것에 감사하리라

영혼이 시들지 않는 삶 살고 싶다
내 영혼의 돌담처럼
틈새 틈새 깔끔히 메꾸며
– 시 「돌담처럼」 전문

시인은 끊임없이 시를 쓰는 꿈이 있는 사람이다. 마음을 비추는 거울을 바라보듯이 매일 매일 차곡차곡 돌담을 쌓고 있다. 시로써 영혼의 돌담을 쌓고 있다. 본인이 말하는 것처럼 틈새가 있는 부족한 삶이지만 그의 시는 돌담처럼 내면을 성찰하면서 사랑으로 깔끔히 메꾸는 중이다. 필자는 이를 '내면 가꾸기'라고 말하고 싶다.

빈센트 반 고흐(Vincent van Gogh)는 "삶을 사랑하는 최선의 길은 사랑하는 것이다."라고 말했다. 삶이란 생명을 갖는 것이다. 한 사람 한 사람이 품는 희망의 역사다. 이로 인하여 세상의 아름다운 가치를 더하는 것이다.

부드러운
곡선미가 야트막하게
펼쳐지면

이웃을 품고

자연을 품고
생명을 품는다

조화롭게 어우러져
사계절 색다른 풍경으로
옹기종기 모여 산다

자연스러움이
마음을 편안하게 하듯
꼬리에 꼬리를 무는
정겨운 돌담길

구불구불 그 길을
걷고 싶은 봄이다
- 시 「정겨운 돌담길」 전문

　시인에게 제주도의 '돌담'은 평화 그 자체다. 부드러운 곡선
미에 이웃과 자연과 생명을 품고 있지 않은가. 옹기종기 모여
사는 자연스러운 평화, 정겨움이 있는 풍경이다. 어쩌면 자신
의 감성을 지켜주는 소중한 존재로 돌담을 형상화하고 있다.

햇살 한 줌에
눈이 녹고 봄이 오듯이

겨우내 움츠렸던 새싹이
기지개를 켰습니다

나무들은 저마다
꽃망울을 틔우기에 분주합니다

오늘 성당에 가는 길목
매화가 그윽하게 꽃을 피웁니다
봄의 생기가 활짝 피었습니다

새들도 포르르 포르르
신바람이 났습니다

수줍은 새색시처럼
그렇게 봄이 왔습니다
— 시 「봄의 움직임」 전문

　제주도는 사람과 사람이 사는 자유의 섬이다. 섬에서 만나
는 자연은 시인에게 놀라움과 희망을 선사한다. 거기에 더하
여 평화로움을 선사한다. 그래서 시인은 그 자연 속에서 자신
의 모습을 찾는다. 시인은 티 없는 거울과 하늘, 자연을 만나
고 싶은 것이다.

아침 숲길을 걷는다
사각사각 나뭇잎
숨 쉬는 소리

겨드랑이 간질이는
상큼한 바람

저마다의 독특한 향기를
뿜어내는 자연

자연은 평화롭고
몸과 마음이 맑아진다

어느새
세상의 근심까지 품어준다
온몸은
구석구석 숲속의 숨결
스르르 스며든다
- 시 「자연의 숨결」 전문

시인은 아침의 산책을 통해 느끼는 소리, 바람, 향기를 경험하면서 마음과 몸이 맑아지는 평화를 느낀다. 자연에서 평화를 얻듯 근심을 잊고 행복을 경험한다. 왜냐하면 자연은 공평하고 정직하다. 온 세상을 하나로 만들기 때문이다. 특별히 자연은 진실하다. 누구에게도 거짓말을 하지 않으니까 있는 그대로의 자연스러움이다.

숲속의 향연은 나를
눈멀게 한다

사람의 발길이
많이 닿지 않는 태고적
자연의 숨결

선물 같은 미소가
번지고

우리는
자연 때문에 살고
자연 때문에 행복하다
- 시 「자연은 언제나 옳다」 일부분

자연은 침묵 속에서 끊임없이 꽃을 피우고 열매를 맺고 자신을 늘 새롭게 한다. 자연의 이러한 모습을 통해서 시인은 그 자연을 배운다. 그래서 시인은 자연 때문에 살고 자연 때문에 행복하다고 말한다.

자연의 숨길은 신의 손길이다. 하지만 창조의 손길이 필요하고, 노력과 인내의 손길이 필요하다. 자신의 내면을 가꾸고 돌보는 소중한 존재이기 때문이다. 그래서 시인은 오늘도 시를 쓴다.

보슬보슬
봄비가 되어
대지를 적시련다

메마른 들판에 새싹이 움트게
살랑살랑 바람이 되어
바다를 다듬으련다

성난 파도 고요히 잠들게
보들보들 빗자루 되어
하늘을 쓸어 주련다
어둠 속 뭇별이 웃고 춤추게

투명한 날개 휘휘 저어서
모든 생령(生靈)
맑고 순수하게 만들고 싶어라
- 시 「팜파스의 꿈」 전문

팜파스(Pampas)는 원래 이름은 '팜파스 그라스'로 서양의 억새풀이다. 시인은 봄비가 되고, 바람이 되는 것은 물론, 빗자루가 되어서 이 세상을 맑고 순수하게 만들고 싶어한다. 개인에게 말하면 내면 가꾸기인 셈이다.

시인은 내면의 뜰을 다듬으며 아름답게 꽃 피우며 살고 싶어 한다. 꿈이 늙기 전에, 마음이 가난하기 전에 내면 가꾸기 필요한 것이다. 나의 삶을 아름답게 하는 최선의 길은 많은 것을 사랑하는 것이다. 시인은 많은 독자가 풍성하고 아름다운 삶을 살아가길 소망한다.

얼마나 아프셨을까
그 고통
어찌 잊을 수 있을까
가시관 고통

이마를 찔러도 원망도
불평도 없으셨다

우리의 죄를
용서하시기 위해

나의 죄를 대속하여 주신
주님

이보다 놀라운
사랑이 어디 있을까

날 위해 십자가에
달리신

그분을 영원히 사랑하리라
- 시 「사랑」 전문

　하나님은 모든 자연과 인간을 사랑의 마음으로 만들었다.
송미옥 시인도 그렇게 깨닫고 있는 듯하다. 본인이 쓰는 시에
사랑의 마음을 담고 있기 때문이다.
　사랑이 있으면 누구나 아름다움을 느낀다. 그 아름다움을
성취하는 순간, 감사의 마음도 싹튼다. 그것이 바로 행복이
아닐까 한다.
　사랑은 우리가 바라는 모든 것을 탄생시키는 샘물이다. 내
가슴이 사랑으로 아름답다면 그 순간은 어쩌면 신이 내 가슴
에 머물고 있다는 증거가 아닐까?
　"모든 아름다움에는 사랑이 있다."
　고대 그리스의 위대한 철학자 플라톤(Platon)의 말이다. 누
군가에게 어떤 사물에서 아름다움을 느낀다면 그 안에 사랑
이 있다. 사랑과 아름다움은 떼려야 뗄 수가 없다. 우리가 어
떤 대상을 아름답게 만들고 싶다면 그 안에 사랑을 넣으면
된다. 사랑의 마음으로 다가가면 된다.
　시인은 오늘도 기도하며 고백한다. 십자가의 사랑을 기억하
면서 사랑의 마음으로 살아가겠다고 다짐하는 것이다.

　　노력 속에 허우적거릴지
　　편안함 속에 무념이 될지
　　갈피에 갈피를 따르는 상념이어라
　　내일의 훗날을 두고

보아라, 구름에 맞닿은 저 푸른 들녘을

거미는 부지런히 거미줄을 엮고
꿀벌은 쉼 없이 꽃 사이를 누빈다

그 모든 것이
시간과 함께 사라지는 것이라면
사라지는 날까지
아름다움을 부여함은 어떠리

찬란한 태양은 아닐지라도
꽃처럼, 별처럼
– 시 「여름밤의 사색」 전문

　사랑의 마음은 스스로 터득하는 일이다. 사람이 성장하면서 말문이 처음 열리고, 키가 자라면서 사랑하고, 고통도 받아들이는 나이가 된다. 다만 그것은 누가 가르쳐 주지 않는다. 스스로 새로운 사실을 깨달아야 한다.
　사랑은 우리의 생각과 말과 행동에 스며든다. 그래서 성품이 되고 인격이 된다. 사람에게 창조와 사랑이 가능한 것은 새로운 사물과의 만남이라는 경험에서 비롯된다. 좋은 생각을 하면 좋은 관계를 맺고 좋은 경험을 추구하게 된다. 그 마음이 그 사람을 성숙시키고 행복하게 만드는 것이다.

　세상은 감사로 가득하다
　모두가 감사한 일이다

　당신이 행복해지고 싶으면

감사를 먼저 배우라

철마다 새롭게 피어나는
꽃들을 보고 감사하라
그 향기를 만끽할 수 있음에
감사하지 않는가

세상살이는 모두
내 마음에 달려 있다

감사에 감사를 이으면
이슬처럼 반짝거린다
행복을 만날 수 있으리니

마냥 감사하는 사람은
삶의 전부가 행복으로
듬뿍 채워지리라
- 시 「행복해지기」 전문

감사하는 사람은 삶의 전부가 행복으로 채워진다. 그래서 감사는 어쩌다 찾아오는 일시적이고 개별적인 것이 아니다. 어떤 일을 마무리할 때 찾아오는 순간의 감동도 아니다. 감사하는 순간, 마음이 열리고 삶 자체를 귀하고 아름다운 선물로 바라보게 된다. 그래서 감사는 어떤 결과라기보다는 새로운 시작을 의미하는 행복이 된다.

영국의 격언 중에 이러한 말이 있다.

"감사는 과거에 주어지는 덕행이 아니라 미래를 살찌게 하는 덕행이다."

송미옥 시인도 사랑의 안경을 쓰고 내일을 바라보는 듯하다. 사랑의 마음이 없으면 미래는 물론 그 대상은 결코 눈에 띄지 않는다. 감사하는 순간, 감사가 가득한 새로운 내일이 열리기 때문이다.

땡볕 개의치 않고
피땀 흘리며
담을 타는 일편단심

오로지 임 향한 그리움으로
누가 알아주거나 말거나

임의 숨소리 들으려고
뛰는 가슴 부여잡고
두 귀만 쫑긋쫑긋

누군가를 그리워한다는 것은
행복한 일일 거야
아파도 모질게 아파도

누가 말했던가요
지상에서 못 이루면
천상에서 꼭 이루어진다고
- 시 「능소화」 전문

시 「능소화」에서 나타난 것처럼 그의 사랑은 일편단심이다. 어려움을 이겨내면서 그리움으로 기다리는 것이다. 세상의 삶은 언제나 불안과 어려움은 파도처럼 끊임없이 밀려온다. 그때마다 포기하고 싶을 때도 있다. 이겨내야 한다. 행복은 외부가 아니라 자신의 마음 안에서 솟아나는 것이며 마음에 하나의 샘을 갖는 것과 같다. 그 샘에서 사랑과 기쁨의 샘물이 끊임없이 솟아나기 때문이다. 그런 의미에서 송 시인은 시 쓰기를 통해서 그 내면을 가꾼다.

> 내 삶을 허락하심이
> 얼마나 놀라운 축복인가
>
> 빈손으로 왔다가
> 빈손으로 돌아가는 삶
>
> 어떤 영웅호걸의 권세나
> 물질일지라도
> 떠날 때는 아무것도 없다
>
> 이 세상의 모든 것은
> 한순간에 사라지는 것
> 그러나 사랑만은 남으리
>
> 두 손을 모아
> 날마다 기도합니다
>
> 언제나 감사와 행복으로
> 살아가게 하소서
> – 시 「두 손을 모으는 행복」 전문

행복은 사람과 사람 사이의 관계에서 만들어진다. 우리는 홀로 있을 때보다 다른 사람과 함께 하고 있을 때 기쁨과 행복을 경험한다. 스위스의 철학자인 카를 힐티(Carl Hilty)의 말을 빌리면, "행복은 사람과 사람 사이에는 서로를 그리워하는 행복이 있고, 함께 살아가는 행복이 있으며, 그리고 끊임없이 자신의 것을 나눔으로 얻는 행복이 있다."고 한다.

정해진 그 자리에
고스란히 앉아
그리움에 헤맨 밤은 얼마였던가

벌레는 숲속을 향하고
새는 수림을 바라보는데

하다못해
굴러서라도
꽃밭에 갈 수도 있으련만

지켜내리 나의 자리
뜨겁게 비추는 햇살에
한 줌의 수증기로 사라질 때까지
— 시 「물방울」 전문

물방울은 수증기로 사라질 때까지 자신의 자리를 지킨다. 아울러 꽃밭에 갈 수 있기를 소망한다. 물방울처럼 그리움으로 사는 삶은 시인이 추구하는 행복이다. 시를 쓴다는 것은 내가 그 사물이 되어 그의 입으로 노래를 부르는 것과 같다. 그러면 그 안의 참 기쁨, 참 고통, 참 희망, 참 행복을 경험할 수 있기 때문이다. 송미옥 시인은 꽃이 되고 강이 되고,

별이 되어서 혹은 파도가 되어서 자신을 노래하는 것이다.

송미옥 시인은 매일 한 편 이상의 시를 쓰고 있다. 내면 가꾸기에 열정을 불태우고 있다. 진정한 행복은 바로 내 마음 가꾸기에 있다는 사실을 깨달았기 때문이리라.

내면의 아름다움은 가장 선하고, 가장 가치가 있다. 세상에서 가장 즐거운 감정이다. 그 아름다움은 나에게 직접 찾아온다. 내가 직접 보고 느낀 것이 아니라면 아름다움을 느낄 수가 없다. 더할 것도 없고 뺄 것도 없는 진실하고 순수함을 지닌 최선의 상태다.


내 삶은
말로 지어가는 집이다

말은
우리 삶의 순간순간을 창조하듯이
우리 마음과 몸을 지배한다

지금 내 앞에 펼쳐진
모든 상황을 보라
말이 만들어낸 결과물이다

나의 말 한마디가
은은한 로즈마리 향기가 되어
그대에게 날아간다

예쁜 꽃으로 피어나기를
– 시 「말의 힘」 전문

시인이 말한 것처럼 말은 힘이 있다. 그 말은 창조의 힘이 되어서 향기가 되고 예쁜 꽃으로 피어난다. 그 아름다움은 우리에게 즐거움과 기쁨과 행복을 가져다준다. 아름다움을 떠올려 보라. 바로 마음이 밝아지고 생각이 맑아지는 것을 경험할 수 있다. 가슴에 찾아온 평화와 기쁨, 그리고 행복은 사라지지 않는다.

지금껏 송미옥 시인의 100편의 시작품을 감상했다. 제주도 자연의 아름다움을 마음과 글로 담은 시였다. 우리는 삶이 힘들 때마다 이를 이겨내는 힘이 필요하다. 그의 시는 분명 우리에게 삶의 힘이 되고 있다. 자연의 아름다움을 마음으로 그린 그림이 아름다움이 되어 내 삶 전체에 여운으로 나타나고 있다.

요약하면, 송미옥 시인의 두 번째 시집 『돌담』에서 '사랑과 감사로 찾은 행복한 울림'을 만날 수 있었다. 송 시인은 가슴에 아름다움을 많이 쌓아둔 사람이다. 그래서 가장 행복한 사람이기도 하다. 날마다 가슴의 곳간에 좋은 이야기, 아름다운 이야기를 많이 채우기 때문이다.

누구나 자신의 경험은 자기만의 소중한 이야기다. 행복한 경험일수록 그 마음은 더욱 강해진다. 참된 행복은 자신뿐만 아니라 다른 사람까지 행복하게 해주기 때문이다. 그의 시적 표현은 쉽지만 평안하다. 가슴에 남는 여운도 가볍지 않다. 시 한 편, 한 구절이 독자의 마음에 행복으로 다가오기 때문이다. 그의 감사한 인생을 행복으로 쓴 시다.

다시금 두 번째 시집 출간을 축하한다. 2024년 청룡의 해를 문을 열면서 건승과 건필을 기원한다.

## 2. 자연에서 깨달은 삶의 진리

- 신순희 시집 『그렇게 잠잠히 흘러가리라』를 읽고

한 편의 시가 지닌 위력은 대단하다. 따뜻한 언어, 혹은 현란한 글말로 우리를 매료시킨다. 우리는 곧 시에 빠져들어 시인이 창조한 꿈의 세계를 여행한다. 때로는 즐거움을 누리고 힘을 얻는다.

더욱이 손으로 직접 쓰고 기록한 흔적을 엮어서 시집으로 내는 것은 참으로 위대한 일이다. 시집 속의 한 편의 시가 나를 일깨워주고 위로하는 것은 물론, 나의 삶을 더 명료하게 해주기도 한다. 한 편의 시를 몸으로 읽고 나면 문장은 활자에 멈추지 않는다. 넘어졌다가도 다시 일어나 앞으로 나아가게 한다. 오늘을 견디고 버틸 힘이 되어준다. 더불어 나에게 남은 시간을 어떻게 살아갈 것인가에 대한 고민과 나름의 다짐을 하게 한다. 다시 말해서 세상과 사람을 바라보는 시선을 바꿔주는 것이다.

그렇다면 좋은 시를 어떻게 쓸 수 있을까?

첫째는 매일 매일 시를 써야 한다. 시인에게는 훈련과 연습이 필요하다. 글쓰기도 학습 곡선처럼 조금씩 나아지고 성장한다. 그런 점에서는 스포츠와 다를 바가 없다. 스포츠와 다른 점이 있다면 신체가 지쳤을 때도 정신은 글쓰기 경기를 계속할 수 있다는 사실이다. 시인은 운동할 때처럼 글쓰기 연습을 끊임없이 연습해야 한다. 매일매일 글을 써야 한다.

글벗문학회 시인 중에 매일 매일 열정적으로 시를 쓰고 배우면서 삶에 도전하는 시인이 있다. 2022년 제1회 한탄강 전국 백일장대회에서 입상한 바로 신순희 시인이다. 그의 시적 상상력은 항상 자연과 함께한다. 어떤 문명에서도 채워지지 않는 이 막막한 공간을 자연을 통해서 소통하고 경험하면서 그 깨달음을 자연에서 그 해결책을 찾으려고 한다. 그것이 신순희 시인이 지닌 삶의 철학이자 시의 매력이다.

나는 신순희 시인의 시를 보면서 '생태시'라는 개념이 떠올랐다. 아직 문단에서 생태주의 문학에 대한 용어 정의가 정확히 내려진 바 없다. 그래서 어떤 이는 초록 문학, 누구는 생태문학, 또 어떤 이는 녹색문학, 또 그 누구는 생태주의 문학 이렇게 용어들을 쓰고 있다. 또 문학 안에 '시'라는 장르에서도 어떤 이는 '환경시'다, 어떤 이는 '녹색시'다 어떤 이는 '생태시'라고 말한다. 고현철은 생태주의를 경제, 문화, 교육, 환경, 정치 등 사회 전반에 걸친 새로운 사회이론으로 인정하고 생태주의라는 사회이론 아래 문화 범주가 있고 이 문화 현상

중에 생태주의 문학이 위치한다고 구분했다.(고현철, 『현대시의 쟁점과 전망』,1998) 그리고 생태주의 문학 아래 시 갈래로서 환경시, 생태시, 생명시를 구분했다. 환경이나 생태나 생명이나 다 비슷비슷한 말이지만 '환경시'는 환경파괴의 문제점을 고발하고 기후변화나 환경오염으로 인한 인간의 피해 등에 대한 각성을 촉구하는 시들을 일컫는다, '생태시'는 환경오염의 문제를 넘어서서 기존 세계가 가지고 있는 인간과 자연의 관계를 재정립하고자 시도하는 시들을 일컫는다. 즉 자본주의와 물질문명에 대한 근본적인 비판과 함께 인간과 자연의 조화, 인간과 자연의 새로운 관계 정립 등을 담고 있다. 생명시는 이보다 더 근원적이고 형이상학적으로 접근하여 생명현상에 대한 새로운 깨달음과 우주적 생명의 인식, 생명의 경이 등에 대한 내용을 담고 있다.

무엇보다도 생태주의 시는 환경문제에 대한 재인식과 더불어 인간과 자연의 관계에 대한 재정립, 그리고 더 나아가 존재 전체, 자연 전체 속에서 인간의 영적 성숙으로 이어지는 과정을 포괄하고 있다. 하이데거는 기존의 근대철학이 자연을 죽어있는 대상으로 파악하고, 죽어있기에 해부하고 분해하여 연구해야 할 대상으로 선정되었을 뿐만 아니라 그 대상을 인식하는 인간 또한 개별적이고 독립적인 존재로만 파악했다고 비판하고 있다. 그러면서 시론을 통해 모든 존재하는 것들은 더불어 있으며 그 더불어 있는 바탕이 바로 '존재'라고 말한다. 그 '존재'는 '존재자'들이 생동하고 살아가기에 '존재' 또한 그 스스로 살아 움직이고 인간에게 '언어 이전의 언어'로 말을 건넨다는 것이다. 마르틴 하이데거(Martin Heidegger)

의 시론에 이론적 바탕을 두고 생태주의 시를 파악한다면, 생태주의 시는 일반적인 시들에서 보이는 표면적 언어 자체의 아름다움을 추구한다기보다 우주 전체, 생명 전체, 자연 전체와 소통하고 교감하게 하는 생명의 노래, 우주의 노래, 자연의 노래라 할 수 있다.

그렇다면 신순희 시를 본격적으로 탐구해 보자.


그해 봄은
밝게 웃고 있어도
애처로운 꽃잎이었다

바람이 흩어 놓은 떨어진 꽃잎처럼
어찌 그리 쉽게 떠나는지
흙으로 돌아간다니 말릴 겨를 없고

멈춰진 시간 속
말 못 할 사연들 수두룩한데
다시 시작할 수 있다면
회복될 수만 있다면
잿빛 동행이 그리 밉지만
않았을 것을

끈질긴 게 목숨이라더니
앉으나 서나
야속한 봄바람이 가져온 것들
서로를 힐끔거리게 하는
사회적 거기 두기
– 시 「이상한 거리에 서성이며」 전문

봄바람이 불어온다. 따스한 봄바람이다. 하늘에서 땅으로, 땅에서 하늘로, 나무에서 사람에게로 바람이 분다. 꽃 피는 사랑으로부터 꽃이 지는 슬픔에게, 꽃이 지는 슬픔에서 신록의 잎새에게로, 그렇게 바람이 불어온다. 우리를 앞질러 달려온 봄은 꽃잎 속에 숨어있다. 하나의 꽃이 피면 새로운 시대가 열린다. 하지만 코로나 시대의 사람들은 꽃들의 조용한 혁명을 깨닫지 못한다. 서로를 힐끔거리게 하는 사회적 거리두기가 정서적으로 많이 아프다.

나풀나풀
멋진 날개를 달고
어느 곳에 있든지
순간순간 멋진 모습

날고 싶을 때마다
작은 날갯짓
낯선 비행은
늘 용기를 싣고 있다

모든 악연
지나가기를 기다림 속에
창공에 뜬 조각구름 다가와
말을 걸 때
무언의 눈빛으로 건너간다

삶의 작은 일에도
가치와 의미를 담는
내 안의 호랑나비는

얽어매지 않는 바람결에
넓은 들판을 두루 날아다닌다
- 시 「나비의 자유」 전문

나비 한 마리가 날아와서 벚꽃을 찾는다. 하지만 아직도 이
상 기후 등으로 잿빛이 되고 낯선 비행은 용기를 요구한다.
아직도 한 줌의 봄을 끌어내고 있는 생명은 있지만, 날개 위
에 실린 봄이 위태롭다. 사회적 거리 두기로 외로운 봄이다.
거기에다가 다시 바람이 분다. 꽃잎이 지고 있다. 나비는 넓
은 들판을 두루 나풀거리며 날아다닌다. 그렇다. 우리 사랑
또한 작은 바람에도 흔들거린다. 하지만 시인은 사랑하는 이
를 위해서 봄이 오기를 기다린다.

그대는 사랑하는 이를 위해
겨울에도 서릿발을 건너다니며
봄이 오기를 기다리는 사람입니다

간절기에 가지 치며
지난해 꽃피었던 가지들을 기억하고
솎아내기를 합니다
좋은 기억만 간직하듯이

계절마다 훤히 비추는 뜨락에
밝은 미소는 가만가만 오가고

꽃 뒤에
꽃과 사랑 뒤에
그대

지금 그대는 참 행복한 눈치입니다
- 시 「사랑은 언제나 꽃잎에 머물고」 전문

　계절이 바뀔 때마다 소망을 간직한다. 시인은 봄을 기다린
다. 솎아내고 가지치기를 통해서 꽃 뒤에 오는 또 꽃과 사랑
뒤에 오는 꽃이 피는 소망을 간직하고 있다. 바로 사랑 뒤에
오는 그대를 기다리는 것이다. 그래서 시인은 참으로 행복하다.

해마다 찾아오는
한적하고 양지바른 산소에는
봄마다 쌉싸름한 피리 소리가 들린다

파릇파릇한 새순 따다가
된장에 쌈 싸 먹는 촉촉한 오후
아지랑이 사이로 피어오르는
유년 시절이
긴 세월의 흐름을 등지며
해마다 같은 맛을 내고 있다

진자리 마른자리
늘 두 갈래 길로 보여 주며
위기를 이기는 것과
기쁨을 누리는 법을 가르쳐 주던
듬직했던 모성이 그리운 날

나지막이 꽃대를 밀어 올린
민낯의 삶 속에서
고운 응원의 소리가 봄의 합주를 한다
- 시 「민들레 피리」 전문

꽃잎이 피는 어느 날, 부모님의 산소를 찾아간다. 어린 시절의 고향 추억을 떠올려다 본다. 어머니께서 위기를 이기는 법과 기쁨을 누리는 법을 가르쳐 주신 어머니가 그리운 날이다. 분명히 알 수 있는 것은 오직 부모님께서 우리를 지켜주시고, 응원해 주시고 계신다는 것이다. 시인은 올해도 봄의 끝자락을 붙들고 울 것이다. 지금 어머니의 피리 소리가 들려오는 듯하다.

무뚝뚝한 내
사랑아

겨우내 텅 빈 마음
달래보려
한달음에 왔건만

보랏빛 그리움 움켜잡아
마디마디 매여 놓고도

안 그런 척
시치미 뚝 떼는
사랑아

눈 맞추기 수줍어
푸른 하늘을 쳐다보고
귓전에 지나가는
봄바람에 꽃눈 열어

그런 듯 안 그런 듯

반겨 맞이하는구나
- 시 「자목련」 전문

꽃그늘에 앉아 향기에 취했던 시간은 그저 꿈만 같다. 봄날
이 아무리 좋아도 그 그리움 속에 마냥 머물 수는 없다. 꽃잎
이 바람에 날리면 내 안의 상처들도 날리기 때문이다. 신음을
다 풀어버린 아픔들이 휘날린다. 시치미를 뚝 떼는 사랑이다.
야무진 햇살이 봄바람이 오래된 고통을 뒤집는다. 한나절의
풍장(風葬)이다. 문득 바람을 당기면 저만치 옛 기억들이 살
아나는 법이다.

잿빛 물결이
지나가고

노오란 꽃자루
솟아오르면

내 거기서
기다리겠노라고
말했지

아지랑이 멜로디에
민들레 두 송이
춤추거든

그 꽃
나도 보고 있다고
말했지
- 시 「길가에 민들레를 보거든」 전문

멀리 아지랑이가 피어오른다. 잿빛을 몰아가는 희망이다. 아지랑이는 봄의 멀미, 아른거림 속에서 잊어버렸거나 잃어버렸던 것들이 노래를 부르면서 노란 꽃잎을 입는다. 지금껏 꿈꾸었던 나도 그 꽃을 보고 있다고 그리고 꿈꾸었다고 말한다.

돌아보면 우리의 삶은 코로나로 어지러웠다. 피할 수도 없었다. 눈물겨웠다. 숨 막혔다. 이웃 사랑하기를 내 몸같이 사랑하라는 그 말씀처럼 울컥울컥, 느릿느릿 어린 시절의 추억이 내게로 다가온다.

봄꽃 화창한데
개학은 저 멀리 아지랑이 속에 숨고
자녀들은 차단된 대문 집에 숨었다

머리카락 보일라
비말에 질겁한 웃음소리 보일라
겁나고 무서워 기다리는 등교 시간

한 주 미뤄지고
두 주 미뤄지고
갈 곳이 없는 우리의 아이들
지켜보는 부모님 가슴만 탄다

COVID-19
재앙은 보이지 않은 유령처럼 떠돌아
누구도 안전할 수 없고
피할 곳 없는 현실

이웃 사랑하기를

내 몸과 같이 하라는
성인의 말씀 새기며
확대의 전염 물결 좁혀본다
- 시 「아이들이 없는 거리에서」 전문

　창밖의 봄날이 환장하게 곱다. 그럴수록 봄에 비친 내 모습은 보잘것없는 상황이다. 코로나 시대에 돈도 명예도 봄볕에 비춰보니 노래 한 소절보다도 못하다. 도대체 내가 이룬 것은 무엇일까? 나는 시대의 어디에 살고 있는가? 절대자는 이웃사랑을 실천하라고 말한다. 그 사랑을 모두에게 전파되기를 소망한다.

주인, 이대로 날 내버려 둬도
괜찮은가요

올해 여름 가뭄에 조금도
뿌리를 뻗을 수 없었어요

제 곳에 서 있기조차
힘겨웠어요

주변에 서늘한 그늘
찾을 길도 없었어요

작은 잎사귀 하나
내밀지 못했어요

늦은 가을날

얇은 속잎 하나 밀다가
밤새 내린 첫눈에 얼어붙었네요

설마, 뿌리 초자 얼게 두지 않을 거죠
- 시 「메리골드-장미 허브」 전문

　우리의 삶은 힘들고 빡빡하다. 오롯이 절대자에게 의지할 수밖에 없는 삶이다. 메리골드의 꽃말은 '꼭 오고야 말 행복'이다. 마치 메리골드처럼 행복을 꿈꾸고 소망하면서 우리는 살아간다. 우리 삶은 행복을 기다리는 것이다.
　하지만 인생은 내가 생각한 방향으로 흘러가지 않는다. 다만 훌륭하게 살 수 있다. 시인이 생각한 방향에만 답이 있는 것은 아니다. 해답은 모든 방향에 있다. 메리골드처럼 열린 마음으로 순간순간에 집중해야 할 일이다. 힘겨운 겨울이 온다고 해도 봄은 오리니 절대자에게 의지할 수밖에 없다.

바빠서 미처 부르지 못한
여름 노래가 피아노에 갇혔다

하늘은 골진 슬레이트 지붕을
두드리느라 손가락처럼
바쁘게 움직인다

그곳에서 따스한 음률이
묵직한 소리를 흘러 내고 있다

늦게 심은 옥수수수염 빨갛게 물들어
흐르는 빗방울을 받아

올록볼록 악보를 완성하고 있다

거름기 없는 묵밭에
빛바랜 아버지의 얼굴이
알알이 영글어 간다
- 시 「가을비」 전문

여름날 코로나로 닫혔던 아픔들이 그래도 눈물 젖은 과거
는 눈물 없는 곳으로 흘려보내야 한다. 마침내 갇혔던 여름날
의 노래가 가을비에 담겨 속 시원히 들려온다. 따스한 음률이
묵직한 소리를 내는 것이다. 마침내 늦게 탄생한 나의 시, 나
의 노래는 악보를 완성한다. 다시 오고 가는 계절이 반가워
눈물이 나는 것이다. 시인의 가슴에 문득 아버지의 얼굴이 떠
오르는 것이다.

나더러 쓰다고
고개 젓지 마시게
고개 저으며 꿀꺽 삼키면
그만인 것을
나보다 더 쓴 이를
만났으니
자식 앞세운 어미의
입맛이라 하더이다
내 온몸의 진액이
그 어미의 슬프고도 쓴
눈물만 할까
나의 갈라진 뿌리가
그 어미의 갈라진 입술만 하랴

아무 일 없다는 듯
조밭 매며
호미로 내 뿌리 캐낼 때
난 보았지
- 시 「씀바귀꽃이 건넨 말」 전문

인생의 맛은 때론 쓰다. 하지만 그것은 지나가는 과정이며
삼키면 그만이다. 그러나 나보다 더 힘들고 쓴 인생이 있다.
어미의 삶이다. 시인은 우리에게 묻는다. 내 인생의 쓰고 쓴
아픔의 삶보다 어미의 슬프고도 쓴 눈물만 못하다. 씀바귀를
캐낼 때마다 어머니에 대한 그리움이 보이는 것이다.

차가워진 그대 마음 녹이려
내 맘속 따끈하게 저었습니다
언제나 준비된 마음으로

우아한 향기도 쓴맛도
갈색 사색이 흐르는 빈 곳도
그대를 위한 것이었습니다

상쾌한 아침에나
나른한 한낮에나
무료한 오후에나

후들거리는 눈물
떨구는 날이면
시린 맘 겨울바람
후벼낼 때면

언제든 찾아 줄 것을 믿었습니다

다시 돌아올 수 없는
추억이기에
속 타는 그리움에 머문 채
그곳에 향기로 달려갑니다
– 시 「아메리카노」 전문

　사랑도 미움도 때가 되면 떠난다. 다시 돌아올 수 없는 추억이기에 속 타는 그리움이 가득하다. 시인은 그곳을 향기로 달려간다. 시인은 그대 바로 독자를 위해 시를 쓴다. 그대의 차가운 마음을 녹이려고 따뜻한 아메리카노가 되곤 한다. 그리고 속 타는 그리움으로 독자에게 달려간다.

끝없이 펼쳐진
잔잔한 은하수로 돌아가리

평온한 물결
바위를 어루만지는
수평선으로 돌아가리

고요를 달고 흘러나오는
풀벌레 소리 가득한
숲속으로 돌아가리

눈을 감으면
더 멀리 보이는
물소리를 따라가리

초원을 지나 산등성이를 지나
꽃들을 수놓은 바람 따라가리

아득히 먼 곳이어야 하리
다시는 뒤돌아보지 않을 곳이어야 하리

편히 쉴 곳
본향은 그런 곳이어야 하리

저녁마다 밤마다
새벽에 동이 트기까지 만이라도
그런 곳이어야 하리
- 시 「My home」 전문

　누가 떠나고 있기에, 무엇이 지고 있기에 이리도 아픈가.
신열이 멎을 때쯤에는 꽃 진 자리에서 실컷 울 수 있을까. 시
인은 은하수로, 수평선으로 돌아간다고 한다. 저 신록에 섞이
려면 숲속으로 돌아가야 한다. 풀옷 하나 걸치지 않고 나는
물소리를 따라 바람 소리를 따라서 가는 곳이다. 세월은 그렇
게 흘러간다. 시인은 편히 쉴 곳, 본향을 꿈꾸면서 가슴에 저
민 시 한 구절 쓰고 읽으면서 흘러간다.

그렇게 잠잠히 흘러가리라
주변이 아무리 날
어렵게 할지라도

투명하게 드러나거나
희뿌옇게 가려지거나

얼음을 방패막으로 삼으면 되지

굳이 숨을 이유는 없지만
눈보라가 밀어닥치는 날에는
그처럼 평안할 곳 또 있으리

물고기들과 자갈들과
겨울잠 자는 개구리들
품에 안고 있으면 이 또한 행복이지
혹한이 드리워져 있을 동안은
– 시 「얼음 밑으로 흐르는 강물처럼」 전문

　세상에 어느 것도 인내를 대신할 만한 것은 없다. 삶을 살아가면서 잔재주는 안 된다. 재주를 가진 사람이 성공하지 못한 경우는 무수히 많다. 재능도 그렇다. 보상받지 못한 재능은 거의 속담처럼 전해진다. 교육도 그렇다. 세상에는 교육받은 낙오자들이 얼마나 많던가. 인내와 결단력이 있으면 무슨 일이든 할 수 있다. 창조성의 비밀은 얼음 밑으로 흐르는 강물처럼 조용히 인내하면서 사는 것이 아닐까? 진정한 창조는 자신의 근본을 감추는 법을 아는 데 있는 것이다. 시인은 인내하고 참으면서 오랫동안 글을 써야 한다. 노력 없이 쓰인 시는 감흥 없이 읽히는 법이다.
　신순희 시인은 꾸준히 공부하면서 노력하는 시인이다. 각종 백일장과 공모에 꾸준히 도전하여 훌륭한 성적을 거둔 바 있다.

너나 나나 흙에서 태어났다
흙냄새를 알고

썩어 쾌쾌한 거름 내음 맡고 태어났다
두텁고 거칠든지
얇고 반질거리든지 모두가
언젠가 돌아갈 고향은 흙이다

차다 찬 비바람 맞으며 떨며
서걱거리는 표정을 감추며
웃다가 맺은 열매이다

누군가에게 갇혀 있음에도
행복하고
누군가에게 소망이 될 만한
알맹이를 담고 있어 뿌듯하다

유한한 삶을 초야에 새기든지
유구한 삶을 돌비에 새기고
오랫동안 지켜볼 일이다
누군가의 생(生)을 이어줄 생명이기에
– 시 「종자와 시인박물관」 전문 – 글벗백일장 수상작품

좋은 시와 좋은 글은 그 시대를 함께 살아간 공동체와의 어울림 속에서 나온다. 내가 지켜본 신순희 시인은 다양한 문학 활동을 하면서 글벗들과 시를 나누면서 어울리고 다양한 경험 속에서 시를 읊고 즐긴다. 더욱이 자연의 생태와 사회적 맥락에 관심을 갖고 글을 쓴다. 작품을 감상할 때 작가 고유의 개별적인 능력을 충분히 고려해야 하겠지만 시인은 한 개인의 세계관이 그 시대의 현실과 긴밀한 관련을 맺고 있다. 그 때문에 그의 시에는 힘이 있다.

눈으로 시작하여
비로 마무리하는 오월
어느 해보다 변덕스럽게
추웠다 더웠다 번갈아
기류를 타는 옷깃 사이로
마음은 착잡한 얼굴을

내밀고 지냈다
햇살은 아무 일도 없었다는 듯
고운 꽃들을 불러내어
인적이 드문 공원을 홀로
아름답게 꾸몄다
어려움이 얼른 지나가기를
기다리는 것보다
놓여 있는 상황에

자리를 지키는 법을 가르친다
세상이 불공평으로 아우성을 쳐도
자연은 모두에게 공정했다
뿌리로부터 꼬깃꼬깃 간직했던
모양대로의 꽃잎과 나뭇잎을

펼치는 것처럼
우아한 법을 배울 필요가 있다
만든다는 것은
같은 모양으로 찍어내는 흉내를 넘어서
필요한 만큼의 노력이 버무려진다는
자연의 이치를 본받을 필요가 있다
- 시 「5월을 보내며」 전문

필자는 신순희의 시 쓰기의 본질은 창작의 영감을 자연으로부터 받은 데 있다고 본다. 물론 자연 사물에서 문학의 근원을 발견하려는 태도는 시인만의 생각은 아니다. 천기(天機)니 물아일체(物我一體)니 하는 선조들의 자연관에서도 쉽게 떠올릴 수 있듯 기본적으로 자연과 문학은 친연성(親緣性)을 강조한다. 강호가도(江湖歌道)를 노래하는 수많은 시조는 자연의 아름다움을 찬미하고 자연을 가까이하자고 말한다. 이처럼 인간의 도덕을 드러내고 내면을 이야기하는 도구로 지금껏 활용해 왔다. 신순희 시인도 마찬가지다. 자연과 인간의 질서, 자연과 사회의 조화를 시로 이야기하려고 했다.

삶의 작은 한 자락
그리움 닮은 꿈을
조각달에 숨겨 놓고
달이 점점 부풀기를 기다린다

새해 여명이 온 세상을 덮을 때
차오르는 하늘에 올렸던 대망이
여름 태풍 속으로 조각조각 흩어지고
잔재로 남은 소원이 꿈틀꿈틀
송편 속에 다시 담긴다

지나온 것에 감사하며
지켜주신 것에 감사하며
풍성히 내리는 신의 섭리에
자연의 신비에 엎드리며

고요히 빛을 내어

가슴을 밝히는 보름달에 갇혀
부푼 가슴 기도 소리에 기대어
은하계를 여행한다
– 시 「망월(望月)」 전문

신순희 시인이 자연 사물을 바라보는 관점은 남다른 데가
있다. 그는 자연 사물의 원리를 들어 인간과 사회의 부조리와
불합리함을 비판하는 모습을 보여준다. 자연에 대해서는 창조
와 변화의 공간으로 자신이 닮아야 할 존재로 생각하지만, 인
간과 사회는 모순되고 병들어 간다고 여긴다. 그래서 사물의
생태로부터 얻은 깨달음을 통해서 배움을 얻고 있다.

텅 빈 곳 간
싹 틔울 씨앗도 철새가 물어가고
봄이라도 추운 마음
이번에도 재난지원 대상에
밑줄 건너뛰었다

잿빛 하늘
따스한 빗방울 골고루
내려주는 아침이다
흑이라든지 백이라든지
색깔론에 벗어나야
이모저모 살필 수 있나 보다

차별이 없이 뿌리는 빗줄기는
연둣빛이든지 분홍빛이든지 노랑빛이든지
갖가지 모양대로 존중해 준다

하늘은 이렇게
멀어진 인간보다
아주 가까운 자연으로
공평한 기회를 준다
- 시 「그리고 또 새 봄비」 전문

다시금 말하지만, 신순희의 시는 자연과 깊은 관련을 맺고 있다. 필자는 더 나아가 신순희 시인의 시 쓰기의 주요한 특성을 아예 '생태시'라는 용어로 명명하고 싶다. '생태시'란 용어는 아직까지 학계에서 일반화되어 있지 않지만 많은 사람들이 관심을 갖고 있다.

COVID-19가 끊어 버린
만남의 길
표독스럽고 냉혹하다

더불어 살던 생태계
무너지고
비대면이라는 낯선 말
허공을 밟아 올랐다가
아래로 낮게 줄지어 온다

말수도 줄고
듣는 귀도 나만을 위한 것
멀뚱거리는 시선은
내면의 고민을 깊이 파고 있다

머릿속의 상상은

아무 계획이 될 수 없다
지금, 누가 누구를 일으키겠는가
- 시 「단절 속에 피는 목마름」 전문

생태시는 오늘날 도구적이고 폭력적으로 변해가는 글쓰기를 극복하는 대안이 될 수 있다고 믿는다. 인간의 마음을 치유하고 생명을 살리는 언어 회복에 크게 기여할 수 있다고 믿는다.

씨앗은
비바람을 맞으면서
웅크리고 있다가
어느 곳에나
스스로 걸어가거나
가고 싶은 곳에 머물지 않고
떨어뜨려 놓은 그곳에서
각자의 열매를 맺는다

곡식은
뿌려진 자리에서 자란다
양지든지 음지든지
동서남북 어디든지
주인이 흩어 뿌려 준 대로 살아간다

인생은
강물 아래 자갈 구르듯
흘러가는 방향대로 머물러
더 가야 할 길이 있을지 기다린다
- 시 「풍향은 시곗바늘처럼」 전문

씨앗처럼 곡식처럼, 뿌려진 대로 바람을 따라서 그렇게 자라고 성숙한다. 그리고 인생도 마찬가지다. 강물 아래 자갈이 구르듯 흘러가는 방향대로 흐른다. 하늘의 섭리, 말 그대로 자연의 이치에 기댄 것이다.

21세기 지구는 온갖 오염과 이상 기후, 코로나, 미세먼지 등으로 중병에 걸려 있다. 비단 물리적 환경뿐만 아니라 정신적 환경도 크게 오염되었다. 인류는 한목소리로 생태계의 위기를 근심한다. 생태에 대한 관심은 1970년대 이후부터 활발해지더니 이제 생태학은 21세기의 핵심 키워드가 되었다. 따라서 신순희 시인의 시 작품이 지닌 의미가 매우 소중하다.

꽃들은
햇살을 바라보면서도
한눈을 팔 때가 있다

벌, 나비는
향기를 따라
날갯짓을 한다

사랑은 결국
선택이다
– 시 「머문 자리」 전문

정리하자면 신순희의 시에 나타난 자연 사물의 생생한 몸짓이야말로 가장 이상적인 시 쓰기라고 말하고 싶다. 그리하여 자연 사물과 교감하고 자연 사물에서 얻은 깨달음을 시 쓰기로 연결했다. 나아가 단순히 자연을 감상하는 차원에 머물지 않고 사물의 원리와 삶의 원리, 생태를 현실과 문명에 적용하고 고민하는 실천적인 시 쓰기를 지향하고 있다.

이제 자연 사물의 생태를 인간과 사회로 연결시키는 그의 시 쓰기의 가능성에 주목하고자 한다. 나아가 자연 사물에 대한 표현이 인간과 사회를 향해 마음껏 펼쳐지기를 소망한다. 작은 소망이 있다면 우리 겨레의 문학인 시조에 관심을 갖고 탐구하여 선열이 지닌 자연 사랑을 배웠으면 한다. 그래서 본인이 지닌 재능을 맘껏 발휘할 수 있는 영역을 좀 더 확대했으면 한다.

다시금 신순희 시인의 두 번째 시집 출간을 진심으로 응원하고 축하한다. 그의 건강과 건승을 기원한다.

## 3. 사랑이 만든 행복의 선언
  – 박종태 시집 『오구오구 예쁜 내 사랑』을 읽고

아름다움은 어디에 있을까요? 행복은 언제 올까요? 바로 여기, 지금 이 순간이 아닐까. 행복은 어제도 내일도 아닌, 그곳도 저곳도 아닌 지금, 바로 내 집, 내 직장, 내 길 위에 있어야 한다.

박종태 시인의 시조 120편을 거침없이 읽었다. 필자가 깨달은 것이 있다면, 행복은 바로 내가 '지금 여기'에 존재한다는 것이다.

사랑하는 마음이 없으면 상대방의 필요가 보이지 않는다. 그가 좋아하고 원하는 것이 무엇인지 알지 못한다. 상대방에게 무엇이 필요한지 보이고 그것이 내 필요보다 더 중요하게 보일 때 그것이 곧 사랑이다. 그런 의미에서 시 쓰기는 상대방의 삶으로 들어가서 필요를 채움으로 그의 삶을 더 행복하고 풍요롭게 하겠다는 결심이자 행동이 아닐까.

그런 면에서 사랑은 과정의 기쁨이고 현재의 행복이어야 한다. 사랑은 언제나 희망이 있어야 한다. 하지만 현재를 단단히 딛고 있는 사랑이 더욱 필요하다. 그래서 아름다운 꿈을 꾸되 지금 내 곁에 있는 것의 소중함을 먼저 알아야 한다. 사랑은 '그날, 그곳'이 아니라 '지금 바로 이 순간', 사랑의 언어를 통해 '지금 여기'에서 아름다움을 발견하고 경이로움을 만날 수 있어야 한다.

서로 사랑하면 기쁨이 있고 행복이 보인다. 서로 사랑하면 어떤 고통이 밀려와도 이겨낼 수 있다. 그런 면에서 사랑은 우리가 바라는 모든 좋은 것을 탄생시키는 모태이다. 사랑이 있는 곳에 하나님이 함께 머문다. 그러므로 사랑은 감사이기도 하다. 내 가슴이 사랑으로 아름답다면 그 순간은 신이 내 가슴에 머물고 있기 때문이다.

박종태 시인의 첫 시조집 『오구오구! 예쁜 내 사랑』은 사랑의 고백시이자 아름다운 행복을 선언한 시조집이다.

벚꽃이
피고 지면
라일락 찾아들고

장미가
피어나서
향기를 퍼트리고

그러다 여름 부르는 아카시아 피겠지

꽃들이
피어나고
또 지면 어떠하리

오늘도
내 가슴엔
사계절 향기로운

어여쁜 당신이라는 고운 꽃이 있거늘
 – 시조 「사랑꽃(1)」 전문

　박종태 시인이 꿈꾸는 사랑은 사계절 지지 않고 피어있는
사랑, 향기로운 사랑, 어여쁜 당신이 존재하는 사랑이다. 어
쩌면 박종태 시인에게 사랑은 글쓰기를 탄생시키는 아름다운
동기이자 행복이라고 말하고 싶다.
　박종태 시인에게 시를 쓴다는 것은 도대체 무엇일까? 그해
답을 그의 시에서 찾아보자. 태양 빛이 햇살로 드러나서 나무
가 성장하듯이 그가 지속해서 매일 시를 쓰는 것은 어쩌면
사랑의 시작이었다. 시조 창작은 시인에게는 설렘이었고 행복
이었다. 그리하여 시를 읽는 독자에게 그 설렘과 행복을 전해
주고 싶었는지도 모른다. 그 때문에 그의 시 세계는 어쩌면
사랑을 통한 인생의 해석이었고 그가 품고 꿈꾸는 세상이 아
니었을까?

　그리움
　적셔놓은
　애달픈 내 가슴에

고독이
밀려들어
달빛에 씻어내도

가슴엔 견딜 수 없는 외로움이 눈뜬다

내리는
가랑비에
도랑물 불어나듯

보고픈
그리움이
쌓이고 또 쌓이니

사랑에 목마른 가슴 어느새 젖어든다
- 시조 「그리움(2)」 전문

창작은 작가에게 전적으로 사랑이라는 매개체로 유기적인
관계가 되었다. 그것은 시인의 속성이 되었으며 그와 떼어 놓
고 생각할 수 없게 되었다. 그 사랑은 창작하는 그의 본성이
작용하여 산문적 언어에서 운율을 품은 시적 언어로 넘어가
는 단계에서 그에게는 아무런 얽매임이 전혀 없다. 그냥 자연
스럽게 분출되는 자연스러움이었다. 그의 글은 산문에서 시로
또 시조로 아무런 거리낌 없이 드러난다. 더 높은 단계의 형
식을 향해 날개를 달고 날아오른 것이다. 그의 시조는 거침이
없다. 달보드레하면서도 따듯하다. 그의 삶 안에 사랑이라는
뜨거운 열정이 숨 쉬고 있기 때문이다. 그 영역 안으로 사랑

과 행복의 감정이 점차 스며들고 있다. 그렇기 때문에 그는 자신에게 일어났던 그 사랑 경험을 감출 수가 없다. 자랑하고 싶고, 누군가에게 말하고 싶다. 그리고 하나님께 감사하고 싶은 것이다. 그래서 시로 세상에 천명하고 싶었다. 그런 의미에서 그의 시는 시적 응축으로 그 의미를 더욱 풍성하게 만든다.

> 그리운 당신에게
> '사랑해'라는 말을
> 문자로 한 자 한 자
> 표현해 보여주고
> 당신의 행복해하는 그 모습에 웃는 것
>
> 벚꽃이 흩날리며
> 봄날은 익어가고
> 허전한 이 마음을
> 보이고 싶지 않아
> 바람에 세월의 흔적 추억으로 적는 것
>
> 봄 여름 가을 겨울
> 시간의 흐름 속에
> 흩어진 영혼 속의
> 또 다른 나를 찾고
> 혼돈 속 내일을 찾아 에두르는 몸부림
> – 시조 「시를 쓰는 건」 전문

어쩌면 그의 시는 새로운 삶에서 새로운 활력을 주는 음악이 되었다. 새로 태어난 새로운 모습이 된 그의 모든 내면은

멜로디로 변하고 사랑의 열정이 끓어오를 때마다 새로운 가치인 행복으로 재탄생하고 있는 것이다.

시인이 말한 것처럼 사랑하는 이의 행복한 모습을 담았고, 세월의 흔적을 추억으로 적는 것이라고 했다. 또한 힘겨운 현실에서 나를 찾고 내일을 향해 발버둥 치는 자신의 모습이라고 말하고 있다. 물론 그가 추구하는 시 세계는 사랑을 통한 행복의 재발견이 아닐까 한다. 그 행복은 한 개인만의 행복이 아닌 사랑하는 이는 물론 그와 함께 하는 모든 자연과 이웃이 모두가 쾌족(快足행복)을 추구하는 것은 아닐까?

추웠던 그 겨울을 힘겹게 이겨내고
파릇한 새싹들의 재잘대는 속삭임
수선화 노란 기지개 그 미소가 곱네요

꽃들이 당신 마음 예쁘게 장식하고
하늘도 아름답고 바람도 상큼하니
당신이 환하게 웃는 기분 좋은 봄이다

시려서 웅크렸던 마음을 활짝 열어
느끼고 노래하며 새 계절 맞이하니
이 봄엔 당신도 나도 모두가 행복이네
– 시조 「새봄의 속삭임」 전문

박종태 시인의 시조는 그런 의미에서 경험에 기인한 것이다. 한 여인에 대한 사랑의 경험에서 비롯된 어떤 감정의 폭발이 새로운 샘을 뚫는다. 깊이가 더 깊은 더 젊어진 다른 혈관에서부터 시조가 새로이 흐르기 시작한 것이다.

사랑과 그리움이 진하면 진할수록
바람과 별 하늘도 당신으로 아름답다
언제나 당신 앞에선 행복함에 웃는다

내 가슴 채워지는 사랑의 언어처럼
아픔과 비난조차 이기며 감당하리
당신이 존재함으로 내 시어가 빛난다
- 시조 「당신이 있음으로」 전문

이처럼 박종태 시인의 시조는 열정적인 사랑의 시이자 고백의 시이며 행복을 추구하는 시다. 그에게 아름다운 자연이 함께하고 사랑하는 이가 존재함으로 사랑의 언어가 탄생했다. 그리고 어떤 어려움을 극복하고 감당하면서 그의 인생의 시어, 사랑의 시어가 더욱 빛나고 있다.

오늘도
아침 햇살
숨소리 드나들고

새들의
합창 소리
푸르게 다가선다

행복한 전화기 너머 당신 모습 보인다
- 시조 「아침」 전문

오늘도 박종태 시인은 오늘도 그리움의 시, 사랑의 시, 행복의 시를 쓰고 있다. 더욱이 우리 겨레의 고유 장르인 시조를 엮어 첫 시조집을 발간했으니 얼마나 좋으랴.

　힘든 일 곰비임비
　일어나 지쳐가며

　하루가 다 지나도
　오늘도 행복했다

　이렇게
　말할 수 있는
　오늘이면 좋겠다
　- 시조 「곰비임비」 전문

　결국, 박종태 시인의 첫 번째 시조집을 통해서 전하는 메시지는 행복이다. 한 여인을 사랑했으므로 시를 쓸 수 있었고 이렇게 글을 쓰고 말할 수 있는 오늘이 가장 좋다고 말한다. 더불어 언제나 오늘처럼 행복했으면 하고 고백하고 있다.
　끝으로 그의 책머리에 실린 서시 「축제의 날」을 살펴보고 글을 마무리하고자 한다.

　사랑의 우물물로 씻어낸 내 가슴은
　당신의 눈빛으로 가득 찬 맑은 호수
　숭고히 다시 태어난 행복함을 느끼네

　당신의 가슴속에 황홀히 떠다니다
　우리의 아름다운 축제가 열리는 날
　사랑의 보금자리에 윤슬되어 빛나리

삼월의 아름다움 간직한 새 신부여
우리의 늦은 만남 하늘의 뜻이려니
그만큼 더 사랑하고 사랑하며 삽시다
- 시조 「축제의 날」 전문

그런 의미에서 박종태 시인이 첫 시조집 『오구오구, 예쁜
내 사랑』은 특별한 의미를 담고 있는 시조집이다. 그의 첫
시조집 서시에서 다시 태어난 듯 숭고한 행복을 느낀다고 고
백한다. 그렇다. 사랑은 사람을 만나 윤슬처럼 빛나는 행복으
로 재탄생한 것이다. 축하해야 할 일이다. 시인에게 그 행복
은 늦은 만남이지만 하늘이 맺어준 은총이며 축복이다.

그런 의미에서 박종태 시인의 사랑은 반드시 행복할 의무
가 있다. 그 행복의 답은 바로 여기에 있지 않을까. 더욱더
사랑하고, 더욱더 아름다운 사랑으로 살아야 한다.

그의 시조를 애독하는 독자로서 바람이 하나 있다. 그 아름
다운 행복의 꽃이 시조로 향기롭게 꽃 피길 소망한다. 모든
이에게 향기로 전해지는 아름다운 사랑이자 행복이 되길 기
원한다.

그런 의미에서 필자는 박종태 시인의 첫 시조집의 의미를
'사랑의 만든 행복의 선언'이라고 규정하고 싶다.

더불어 그의 사랑과 행복을 응원한다.

# 4. 효심(孝心)이 시심(詩心)이다

– 이연홍 시집 『모정』을 읽고

　교육 현장 또는 지역의 마을교육공동체에서 교육 활동을 전개하다 보면 가르칠 교(敎)라는 글자를 자주 만나곤 한다. 교화시키는 것을 '교(敎)'라고 하는데 그 교자가 효도 효(孝) 옆에 글월 문(文)을 한 것이다. 모든 윤리라 하는 것은 효도에서 비롯되는 것이기 때문에, 사람 되는 것을 가르치는 일이다. 여러 가지 인사 문제를 가르친다는 교(敎)자가 효도 효(孝) 옆에 글월 문(文)자를 붙인 것이다. 다시 말해서 가르칠 교(敎)자는 '효도하는 글'이란 의미다.

　다산 정약용 선생님의 편지를 모아서 펴낸 『유배지에서 보낸 편지』를 읽은 적이 있다. 그 글 중에 마음에 와닿는 구절이 있다. 다산 선생님이 18년이라는 오랜 유배 생활 동안에 행한 행적들을 살펴보면 늘 숙연해진다. 아니 놀랍고도 존경스럽다. 그 글 중 가슴에 와닿는 글을 인용한다.

독서를 하려면 반드시 먼저 근본을 확립해야 한다. 효제(孝悌) 근본이 확립되고 나면 학문은 자연스럽게 몸에 배어들고 넉넉해진다. 몸을 닦는 일(修身)은 효도(孝)와 우애(友)로써 근본을 삼아야 한다.
 ― 정약용의 『유배지에서 보낸 편지』 중에서

독서와 학문, 책 쓰기, 공직자의 자세, 마음가짐 등 다산 선생님으로부터 영감을 받는 부분이 참으로 많다. 가장 공감을 한 부분은 "수신(修身)은 곧 효제(孝悌)"라는 부분이다. 독서와 글쓰기도 먼저 효(孝)와 제(悌)라는 근본이 바로 서야 비로소 이루어진다는 것이다.

자식으로서 부모에게 효도하는 것은 극히 자연스러운 이치다. 가르쳐 주지 않아도 본래 이치가 자식으로서는 어버이에게 효도하는 수밖에 없다. 그걸 거부하는 자는 불의한 자라고 할 수밖에 없다. 그렇게 바탕이 불의한 자가 어떻게 붕우유신(朋友有信)을 할까? 또 부부유별(夫婦有別)을 하고, 장유유서(長幼有序)를 할 수 있겠는가. 또한 위국지충(爲國之忠)을 할 수 있겠는가. 그래서 예로부터 효도는 백행(百行)의 근본(根本)이라고 하지 않았던가.

내가 아는 시인 중에 효심이 가득한 글을 쓰는 시인이 한 분 있다. 오로지 부모님과 시댁 어르신을 존경과 사랑으로 섬기면서 생활 속에 시를 쓰는 시인이기도 하다. 바로 강원도 양구에 사는 이연홍 시인이다. 그의 효심이 담긴 시작품을 감상해 보자.

떨리는 손으로 한자, 한자
적어가는 어머니의 마음은
딱 오늘 만난 쪽빛 하늘같다

함께 공부하며 나누던 정
만나지 못하는 그리움이
핸드폰을 통해
빠르고 정확하게
배달되었나 보다

옥희 씨, 복희씨, 은숙 씨
그리고 존경하는 스승님
85세의 어머니는
고마움과 그리움을
유난히도 파란 하늘에
춤추고 있는 꽃잎 되어
임 계신 곳 당도하니
반가운 화답이 날아온다
- 시「안부」전문

　나의 어머니를 '쪽빛 하늘 같다'는 표현이 눈길을 끈다. 어머니의 마음을 '춤추는 꽃잎'으로 표현한 것도 매우 인상적이다. 그의 시심은 효심에서 시작됨을 쉽게 알 수 있다.
　우리의 문학사에서 효와 관련한 작가를 떠올리자면 먼저 머리에 떠오르는 작가는 바로 '송강 정철' 선생이다. 송강의 시조「훈민가」에 효도에 관한 것으로는 다음의 두 수를 만날 수 있다.
　아버님 날 낳으시고 어마님 날 기르시니

두 분 곧 아니시면 이 몸이 살았을까
하늘과 같은 은덕을 어디 다해 갚사오리.

어버이 살아실 제 섬기기란 다하여라
지나간 후면 애달프다 어떠하리
평생에 고쳐 못할 일이 이뿐인가 하노라
– 송강 정 철의 시조 「훈민가」 중에서

부모님의 생전에 효행을 힘쓰라고 주장한 작품이다. 이연홍
시인은 바로 효행을 실천하는 작가다. 어머님의 생전에 꿈이
셨던 글쓰기 작업과 그림 그리기를 지켜보면서 지지자로서
항상 곁에서 응원하곤 한다. 그 결과 어머님께서 두 권의 책
을 저술하시게 된다. 그 어머님은 바로 정옥선 작가님이시다.
다만 입으로 가르치고 행동으로 일깨우는 데서 그치지 않
고 효가 무엇인가를 알려주려는 선조 시인들의 노력과 정성
을 필자는 이해할 수 있다. 이연홍 시인도 역시 효가 우리의
사회에서 얼마나 중요한가를 깨우치고 알려주는 큰 역할을
하고 있다. 물론 그가 의도한 것은 결코 아니다. 부모님을 존
경하고 사랑하는 마음에서 저절로 나온 삶의 모습이자 감동
일 것이다.

어릴 적 아카시아의 향기
중년이 된 나의 무릎 위에
소환시켜 올려 놓아본다

밭 언저리 돌담을 쌓고
아카시아 나무로 울타리를

쳐놓았던 신병교육대
코를 찌를 듯한 짙은
향기 따라 어머니의
눈물은 마를 날이 없었다

군에 간 아들 생각에
부대 안 교육생들에 힘찬
구령은 내 어머니의 가슴팍
총기가 되어 훑어지고
생채기로 피가 줄줄 흐른다.

아!
아카시아 꽃향기에
사랑스러운 나의 어머니
젖내음이 묻어 나온다
- 시 「아카시아의 향기」 전문

이러한 작품들은 마치 현대의 우리 사회에서의 기독교 찬
송가에 비유될 수 있는 것들이다. 비록 교회당에서의 의식은
없었으나 찬송가를 통해서 하느님의 은총을 생각하고 그리스
도의 복음을 생각하듯이, 이 노래들은 부모님의 은혜를 잊지
말고 효성의 도를 생각하게 된다.

이연홍 시인은 어머니를 누구보다도 잘 알고 있다. 사실 부
모님과 소통하는 일은 쉽지 않은 일이다. 그가 어머님의 모습
을 그린 시 작품에 그 사랑이 고스란히 녹아있다.

누런 이면지가
꿈의 동산이 되어

한 송이 꽃피워 놓고
나비는 날고 있다
작은 꿈은 어느새 한지
위에서 꿈을 그려 놓는다

어떻게 이런 창조를 하셨을까
해 넘긴 달력은 꿈의 동산 되어
꽃을 심어 새가 날고 있다

호랑이 근육 자랑에
매화의 사랑 꽃향기 피워
엄마의 동산은 희망이다
– 시 「엄마의 세계」 전문

　어머님이신 정옥선 작가님께서 달력을 이용하여 그림을 그
리시는 그 열정이 참으로 대단하고 아름답다. 그 그림을 호랑
이가 근육 자랑을 하고 매화꽃 향기가 핀 평화의 동산, 꿈의
동산이 되었다는 표현이 싱그럽다.

모든 걸 주시고도
부족하셨던건가
아버지와 둘이 걷는다

고르지 못한 숨소리
아버지의 팔을 붙잡고
치과로 정형외과로 돌고 돈다

가솔들 거느리느라
뼈마디가 다 닳도록

논으로 밭으로
흙물 누렇게 찌든
아버지의 손

아버지의 희생에
감사의 마음을 담아서 한 잔
죄송한 마음으로 한 잔
아버지의 건강을 빌며
한 잔을 올려드립니다
– 시 「아버지」 전문

아버지에 대한 감사의 마음과 죄송한 마음, 그리고 건강을 비는 술 한잔, 분명 막걸리 한 잔이리라. 그 따듯한 소통은 우리의 마음을 시큼하게 울린다.

오늘날의 효에 대한 가치관은 분명히 변화하고 있다. 하지만 아직은 뚜렷한 가치 체계가 확립되지는 않았다.

우리가 문학의 여러 장르에 나타난 전통적인 효의 관념은 여러 시대를 거쳐 오늘에 이르러 왔음을 볼 수 있다. 효는 천성(天性)이라는 기본 태도가 우리의 문학 작품들에 짙게 깔려 있다. 이 사실은 우리에게 시사적인 암시를 던져주고 있다.

가슴 속인들 오죽하랴
가난에 맺힌 설움
검게 멍든 것을
누군들 알겠는가
멍든 모습에
당신의 모습이 배어 나온다

따뜻한 것은 내어주고 퍼 주다
정작 어머니의 우물은 말라
차디찬 알몸 되어 침상 위에
누워있는 모습이 마른 나뭇가지 같아
가슴이 시려온다

그 고통 속에서도 자식들 아파할까
애써 기운 차려보려 하는 당신
지난 시간을 헤매며
떠올려 보는 깊은 밤
당신의 야윈 모습 당신의 우물에
샘이 솟기를 기도한다
– 시 「모정(1)」 전문

다시 말해 효는 소통이 아닐까? 자녀와 부모의 공감, 그리고 따뜻한 대화에서 비롯되는 것은 아닐까?

효도는 누구나 옳다고 말한다. 많은 사람들이 그렇게 이야기했고 말해 왔다. 그러나 정작 끊임없이 지속적으로 효를 말하는 작가는 드물다.

참된 인간으로서의 본분이 효도라고 한다면 오늘날과 같은 혼미한 사회 풍조 속에서 이연홍 시인의 시집 『모정』은 매우 맑은 청량제가 될 수 있으리라. 그런 의미에서 이연홍 시인의 첫 시집 『모정』이 시사하는 바가 크다.

나보다 더 나를
사랑하신다
세월의 흔적에
흰 서리 내린 모습

당연한걸
당신의 딸은 아닌가 보다

야! 야!
네가 벌써
염색이라도 했으면 좋겠다
오늘은 얼굴이 가무잡잡해졌다고
지긋이 바라보신다

나보다 내게 더 집중하시는
나의 사랑
오늘도 그 사랑이
내게 주시는
가장 귀한 사랑이다
– 시 「모정(2)」

시인은 '나보다 더 나를 사랑하는 어머니'를 그린다. 그 사랑이 가장 귀한 사랑이라고 말한다. 어쩌면 이연홍 시인의 글쓰기는 어머니의 사랑이라는 창작의 메타포가 있었기 때문이리라.

나는 이 대목에서 진지하게 다시 묻게 된다. 왜 글을 쓰는가? 자신이 하고 싶은 일, 좋아하는 일을 할 수도 있는데 왜 굳이 글 쓰는 고생(?)을 하는 것일까?

이는 어쩌면 효의 목소리를 낼 수 있도록, 혹은 이를 통해 감사와 행복의 목소리를 부여하도록 시인으로 운명 지어진 사람이 아닐까? 그런 생각을 가끔 해본다.

눈물을 글썽이는 친구

보고 싶어도 볼 수 없는
엄마가 보고 싶다 한다

친구야
곁에 계신 엄마라도
난 늘 그립고 울컥하며
보고 싶어진단다

보고 있어도 보고 싶은
나의 어머니
— 시 「어머니」 전문

그 이름 '어머니'. 어쩌면 시인이 글을 쓰는 이유일 것이다. 그것이 하나뿐인 삶 속에서 험난하고 힘겨운 삶 속에서 보고 싶고 늘 그리운 이름, 보고 있어도 보고 싶은 이름, 그래서 시인은 놀라운 목소리를 낼 수 있도록 부여된 사람이 아닐까 한다. 결국, 내 가족, 나의 어머니, 나의 삶의 이야기를 들려주는 일이 어떤 의미인지 말할 수 있는 사람은 오로지 글을 쓰는 시인의 몫이 아닐까 한다.

끝으로 '효심(孝心)이 시심(詩心)'임을 깨우쳐 준 이연홍 시인의 아름다운 시에 찬사를 보낸다. 그가 어머니의 모습을 묘사하지 않았다면 그리고 자신의 삶과 감동을 글로 쓰지 않았다면 그 아름다운 마음은 전해지지 않았으리.

이연홍 시인의 아름다운 효심과 시심으로 문운이 활짝 열리길 응원한다.

# 제5부
# 그리움의 미학

# I. 눈물로 쓴 그리움의 시적 상상

## - 윤소영 첫 시집 『눈물로 쓰는 삶』을 읽고

　기회가 있을 때마다 나는 "시는 감상이 아니라 경험이다"이라는 말을 자주 한다. 시 쓰기는 경험의 밑바탕에 있는 단단한 생각에서 나오는 것이기 때문이다. 그래서 시 쓰기에는 연륜이 필요하다. 경험이 필요하다. 이때의 경험은 구체적 언어를 이끄는 힘이 필요하다. 단지 감성만을 갖고 좋은 시가 될 수 없다. 좋은 시는 감성을 넘어서야 나올 수 있다. 시는 개인으로부터 창작이지만 개인을 넘어서야 감동을 줄 수 있다. 시를 쓰는 일이란 어쩌면 끊임없이 나를 그리고 누군가를 격려하는 일이다.

　나도 늙어 가는가 싶다

슬픈 사연만 듣고 보아도
눈물이 흐르네

슬픈 생각만으로도
어느새 눈가엔 촉촉이
흘러내리는 하얀 이슬이
예전에는 이러지 않았지

요즘 들어 눈물이
내 친구가 되어 있네
가끔은 그리움에
가슴 시리도록 애달파하면서
글로 적는다

중년의 모습이려나
많은 변화를 실감하네

네가 가슴 아파하는
한 여인이 있네
한순간의 실수로
모든 것을 포기하면서
어린아이가 돼 버린
아름다운 여인

기나긴 여행길에서
사랑 가득 품고
예전의 모습으로
꼭 돌아오길
간절히 바라는 시간
꼭 돌아오길

나도 모르게
우울함에 들어갈 때마다
스스로 다독이네

유일한 나의 친구에게
다시금 속삭인다
하얀 종이와 펜
나의 영원한 친구에게
네가 있어 행복하다고
– 시 「눈물로 쓰는 삶」 전문

시 쓰기는 단지 기술이 아니다. 끊임없는 습작과 일기처럼
글 쓰는 연습이 절대적으로 필요하다. 그래서 기회가 있을 때
마다 매일 글을 쓰라고 강조하고 또 강조한다. 세계적인 유명
화가나 가수가 높은 경지에 이르기까지 끊임없이 연습과 훈
련이 있었다. 시를 쓰는 시인에게도 그런 노력과 열정이 필요
하다.

내가 아는 시조 시인 중에 서울여대 명예교수이신 김준 박
사가 있다. 올해 시조로 등단한 지 61년 된 시인이다. 2003
년 8월에 대학에서 교수로 정년 퇴임을 하고 끊임없이 창작
에 몰두하여 마침내 53,000수의 시조를 쓰셨다. 지금도 하루
에 20편의 시조를 쓰고 계시다. 또 내가 아는 시인 중에 송
연화 시인이 있다. 매일 같이 시를 쓰면서 매년 3~4권의 시
집을 발간하고 있다. 어느덧 16권의 시집을 발간했다. 또 우
리 글벗문학회 회원 중 김은자 시인은 지금껏 70여 권의 저
서를 출간했다. 태어나서 지금까지 매년 1권씩 책을 출간한
셈이다. 왕성한 창작력과 끊임없는 시적 상상력을 존경하지

않을 수 없다.

　시와 시조는 시적 영감이나 체험을 통한 감성의 글을 써야
한다. 쉽게 말해서 시와 시조 쓰기는 감각이 있어야 한다. 바
로 관찰 감각, 사유 감각, 표현 감각이 필요하다. 관찰과 사
유, 표현은 감각적으로 표현했을 때 신선한 울림이 있기 마련
이다. 물론 자신만의 스스로 익힌 터득과 연구를 통하여 자신
만의 독특한 시적 세계를 구축해야 하는 개인적인 과제도 있다.

　제일 좋은 시 작품은 감동과 여운을 주는 작품이다. 그리
쉽지 않다. 시를 창작할 때 실패하는 이유의 하나는 글의 주
제를 명확히 드러내지 않고 쓰기 때문이다. 기막힌 소재나 모
티브, 시적 영감에만 치우쳐서 주제가 선명하지 않다면 그 글
쓰기는 실패하기 쉽다.


　꽃눈 속
　하얀 눈물
　어린 가슴 젖어드네

　빈 노트
　일기장을
　촉촉이 적신 새벽

　목련화
　꽃등을 울린
　나의 사랑 그대여
　- 시조 「봄비」 전문


　윤소영 시인은 시와 수필 작품을 통해서 기회가 있을 때마

다 녹록지 않은 슬픈 삶, 아픈 삶을 살아왔다고 말한다. 그런데 아이러니하게도 그 슬픔이 그를 시인으로 만들었다. 슬픔을 그리움으로 승화시켜서 시를 창작하고 있다는 점에 주목할 필요가 있다.

먼동이
떠오르면
고향의 풍경 소리

아련한
기억 저편
친구야 보고싶다

어쩌랴
나도 모르게
눈물방울 떨구네
 – 시 「그리운 고향」 전문

이 시조 작품은 나이가 들면서 고향이 그립고 어린 시절의 친구가 그리워서 눈물을 떨구는 모습을 형상화한 작품이다.
세상에 하고 싶은 많은 일 중에 왜 하필 시를 쓰려고 하는가? 한마디로 글을 쓰면서 나를 치유할 수 있기 때문이다. 내가 지도하는 많은 회원 중에 아픔을 간직한 사람들이 참 많다. 그 아픔을 쉽게 드러내기 힘들다. 그런데 글쓰기를 통해서 비유적으로 혹은 상징적으로 자신의 삶을 살포시 드러낸다.
사람은 여러 개의 긍정적인 사건보다 한 개의 부정적 사건에 더 큰 영향을 받는다. 그 대표적인 이미지가 '눈물'이다.

눈꽃 속에서 빛나는 동백꽃의 뜨거운 열정을 바라보라.

바람이 속삭이듯
창문을 두드리네

애 타게 그리던 임
바람 따라왔노라고

코끝에 임의 향기로
눈물 왈칵 쏟아요

나뭇가지 그렁그렁
눈물이 맺혔어라

사랑의 눈꽃으로
소복이 피어나네

그대의 뜨거운 열정
눈꽃 속에 빛나네
- 시조 「동백꽃 사랑」 전문

시에서 가장 중요한 요소 중 한 가지는 이미지다. 이미지를
통해서 독자들의 마음속에 그림이 그려진다. 이미지를 통해서
실감과 공감을 쉽게 얻는다.

시는 언어로 그리는 그림이다. 사물의 현상을 소재나 모티
브 또는 객관적 상관물로 끌어와야 한다. 그 사물과 모티브가
대부분 비유의 보조관념으로써 정서 상태를 대변해 주는 역
할을 한다. 그 때문에 나만의 보조관념으로 사물과 현상을 활

용할지에 대한 진지한 고민이 있어야 한다.

  풀잎 끝에 청순한
  맑고 순수한 영혼
  창가에 드리우는
  따뜻한 햇살처럼
  내 마음 간절한 소망
  새싹이 돋아나네

  당신을 그리는 맘
  풍등에 띄워보렴
  배시시 머문 자리
  꽃망울 함박웃음
  연둣빛 햇살 머물러
  비단결에 수놓네
  – 시조 「그리움(1)」 전문

  관성의 역행을 위한 체력이 필요하다. 우리의 마음 구조는
부정적인 것에 더 예민하다. 나만 그런 게 아님을 알아야 한
다. 에너지는 한정된 것이니 심리적. 신체적 힘을 기르고, 자
신의 부정적인 것에 대해 자책하지 말아야 한다.
  불행은 행복을 위해 지불해야 하는 영수증일 수도 있다.
  긍정의 프레임이 필요하다. 코로나 시대 프레임은 강제적으
로도 진정한 휴식이 필요하다. 부정적 자아는 내가 생존하기
위한 경고하는 것이다. '부정'에 대한 부정적 프레임을 씌우지
말아야 한다.
  시인은 그리움으로 불행이라는 아픔을 해소하고자 한다. 시

에 독특한 긍정의 프레임을 사용하고 있다.

아무리 애를 써도
쓸쓸한 나의 마음
희망의 꿈날개를
하늘에 펼칩니다
나의 꿈
사랑을 향해
그대 찾아 날지요

살며시 감은 눈썹
아련히 떠오르는
글 마음 그대 생각
당신만 사랑해요
오늘도
보고픈 마음
그리움을 적지요
– 시조 「그리움으로(3)」 전문

나이가 들수록 관성이 강해진다. 그 때문에 관성을 거스르기 어려운 건 당연하다. 그렇다고 자책하지 않는다. 태생적으로 부정적인 성향을 타고났으니 지나친 자기 탓을 하지 않는다. 시인은 긍정적인 것을 먼저 바라본다. 바로 그리움이다.

노오란 은행잎 하나
사랑을 그리워하네

하늘에 꽃 무지갯빛이

임 마중 가라 하네

연못에 사뿐히 띄워
가슴에 멍울지네

가지 끝에 내려앉은
임의 눈물 소낙비 내리네

아, 임이시여
돌아올 기약 없이
서산 노을 지는 해에
내 영혼은 빛과 등불이어라
- 시 「사랑의 등불」 전문

　가을에 가지 끝에 내려앉은 임의 눈물인 양 소낙비가 내린
다. 서산 노을 지는 해를 바라보면서 내 영혼은 빛과 등불을
찾는다. 바로 그리움이다. 그렇게 가슴에 멍울진 사랑이 그리
운 것이다.


은빛 모래 위에 써놓은
사랑의 이름이여
영원히 지워지지 않은 가슴에
그리는 사람이여
저 산마루 끝에
걸린 해님에게
다소곳이 부탁하네
나의 임, 나의 사랑 지켜주오

그리운 임이여

두 눈에 눈물이 흐르네
어이 그리 무정한가
그토록 보고파서
애달픈 사랑이여
흔적조차 보이지 않는
무정한 내 임이여

오작교 다리 위에서
나의 사랑을 수 놓네
- 시 「그리움(2)」 전문

시를 잘 쓰려면 체험을 진실하게 많이 해야 한다는 말이
있다. 시적 진정성 때문이다. 그래서 시 쓰기에서 매우 중요
한 요소이다. 시인은 가족의 이별을 겪는 아픔을 겪었다. 그
이별은 눈물로 그리고 그리움으로 형상화하고 있다. 윤소영
시집에서 가장 많이 등장하는 시어는 '그리움'이다. 23회 등
장한다.

나만의 간절한 시적 지점을 잡았다면 그 간절한 시적 지점
을 대변할 사물과 현상을 찾는 것이 매우 중요하다. 그 과정
을 수행할 때 작고 단순한데 시적 의미를 담을 수 있는 사물,
현상, 속성을 찾아야 한다. 바로 시인은 '그리움'으로 자신의
속성을 찾은 것이다.

그리움 한 자락
가슴에 담고 사는 삶
힘들어 눈물지어도 좋습니다

보고파 그리울 때
한 번씩 꺼내 볼 수 있기에
참 좋습니다

슬픈 기억도
아름다운 추억도
물거품처럼 사라지건만

비가 오는 날에도
바람 부는 날에도
내 그리움을
가끔 꺼내 볼 수 있습니다
– 시 「그리움으로(2)」 전문

　시인은 그리움을 자주 시작품으로 표현한다. 눈물이 아닌 시로 표현한다. 시를 쓰는 마지막 단계로 상상적 체험을 극단적으로 끌고 가서 실감 나게 표현해야 한다. 기존에 있던 익숙한 체험적 상황에서 벗어나려고 전혀 다른 경험적 발상을 적용해야 한다. 그 경험은 누구나 공감할 수 있는 상황을 설정해야 한다. 나만의 상상적 체험을 강조하니까 특수하게 있을 수 있는 상황을 체험해서 새로운 시처럼 쓰면 안 된다. 그렇게 되면 시가 억지스럽게 된다. 시는 머리로 쓰면 안 된다. 다시 말해 상상적 체험을 섬세하게 극적으로 말해야 한다.

　낙엽 위에 그리움
　나의 몸을 쓸쓸히
　휘감아 도네

조용히 내려앉은
당신의 고운 모습
입가에 미소 짓는
당신의 고운 얼굴

희미한 안개처럼
사라진 너의 흔적
이내 가슴 멍울지네

고요한 이슬처럼
피어오른 그 사랑
한줄기 바람꽃으로
다시 피어 오를까
- 시 「바람꽃처럼」 전문

시는 비유다. 시 창작에서 비유는 중요한 위치를 차지한다.
시는 원관념만으로 표현해도 무방하다. 그런데 우리가 보조관
념을 끌어들여 비유를 활용하는 이유는 보조관념이 원관념을
더욱더 생생하게 묘사하거나 환기하는 힘을 갖고 있기 때문
이다. 잘 알다시피 직유법에서는 ~처럼, ~같이, ~듯, ~인양
등의 익숙한 표현이 연결고리처럼 사용한다. 그 직유의 연결
고리 중에서 '~처럼'을 낮설게 하기로 활용하여 시를 쓴다면
신선한 나만의 작품을 탄생시키고 있다는 점이다. 이때 유의
할 점은 직유가 신선해야 하고 또 다른 하나는 그 직유적 상
상력을 동원하여 표현하고 하는 존재의 내면이나 존재성이
'개별적'이어야 한다는 것이다. 누구나 느끼는 일반적인 간절
함을 가진 대상의 존재가 아니라 그 대상만이 가진 간절함을

드러낸 신선함이 부각되어야 한다.

  한잔의 커피 향에
  가슴에 꽃불 놓고
  속삭이는 향기에
  저 멀리 들려오는
  그리움 가슴 조이며
  사랑한다 말하네

  빗물이 커피잔에
  은은히 요동치며
  알 수 없는 봄비의
  사랑에 촛불 켜고
  가슴에 꽃비가 되어
  불꽃처럼 타오르네
  – 시조 「커피 향기」 전문

  위의 시에서 '가슴에 꽃비가 되어 불꽃처럼 타오르네'는 묘
한 암시성을 갖는다. 방법은 간단하다. 원관념과 보조관념이
겹치는 유사성의 정도를 적게 잡으면 된다. 유사성이 아주 조
금만이라도 있다면 신선한 느낌을 줄 수 있다.

  고요한 이슬처럼
  피어오른 그 사랑
  한줄기 바람꽃으로
  다시 피어 오를까
  – 시 「바람꽃처럼」 일부

또 다른 시도 한 번 살펴보자. 옷의 맵시를 '안개처럼 연약하고 모래같이 흩어지기 쉬운 옷자락'이라고 표현했다.

안개처럼
연약하고
모래같이
흩어지기 쉬운
너의 옷자락
- 시 「맵시」 일부

이상에서 살펴본 바와 같이 윤소영 시인의 시집 『눈물로 쓴 삶』에 나타난 시적 특징은 바로 '그리움'을 진실한 체험에서 우러난 상상적 체험으로 섬세하게 표현하고 있다는 점이다. 다시 말해 참신한 비유를 통해서 '슬픔'을 '그리움'으로 승화시켜서 표현하고 있다는 점에 주목할 필요가 있다. 이에 필자는 그의 작품 세계를 '눈물로 쓴 그리움의 시적 상상력'으로 규정하고자 한다.

윤소영 시인은 새내기 시인이다. 하지만 시인으로서 앞으로 무궁무진하게 발전할 수 있는 시인이라고 감히 말하고 싶다. 그의 끊임없는 시적 상상력에 대한 탐구와 노력을 기대해 본다. 그의 건승을 기원한다.

# 2. 기독교 신앙에 기초한 사랑의 시학

### - 이도영 시인의 일곱 번째 시집 『그리움은 시가 되어』를 읽고

　우리 삶이 고귀한 것은 한 사람 한 사람을 통해 세상이 더 아름답게 나아지고 발전하기 때문이다. 그 한 사람의 노력과 정성만큼 아름답고 풍요로운 세상이 되기 때문이다.

　내가 활동하는 글벗문학회, 계간 글벗에는 200여 명의 회원들이 한결같이, 소중한 꿈을 갖고 열정으로 참여하고 있다. 그 열정은 가히 세상을 아름답게 만들 수 있는 역량이 있는 에너지다. 우리가 내세운 문학의 지향점은 '아름다운 글로 행복한 세상'을 만드는 일이다.

　모든 사람이 이런 마음으로 세상을 살고 글을 쓰면 세상은 더 밝고 따뜻한 세상, 어디나 웃음이 넘치는 세상이 되지 않을까?

한 마디 따뜻한 말과 미소 하나로, 친절한 나눔과 이해의 눈길이 이 세상을 아름답게 만들 수 있기 때문이다.

우리의 시인들의 글은 한 곳에만 머물지 않는다. 메아리처럼 그리고 흐르는 물처럼 사람과 사람 사이, 자연과 사람, 그리고 자연과 공간을 이끌어가고 있다. 여기저기를 바람처럼 물처럼 흐르면서 그곳을 더 나은 곳으로 만들어가는 것이다. 그 주요 활동으로 책만세 프로그램 활동이다. 책을 통해서 따뜻한 사람을 만나고 행복을 찾아서 세상과 소통하는 프로그램이다.

우리 문학회에는 따뜻하고 고운 마음으로 열정으로 글을 매일 쓰시는 빛나는 작가가 몇 분 계시다. 그중에 눈에 부시게 빛나는 작가가 계시다. 바로 광휘(光輝) 이도영 시인이다.

이도영 시인은 경기도 양평에서 출생하여 용인에 살고 있다. 《좋은문학》에서 시, 수필, 동시로 등단한 후에도 지속적으로 글 나눔과 배움의 길에 나서고 있다. 더욱이 열정적으로 기독교 신앙을 통해 행복을 나누는 아름다운 신앙인이기도 하다.

시인은 어린 시절부터 어려운 가정 형편에서도 독학으로 꾸준한 배움을 통한 진실한 나눔을 실천하시는 분이시다. 시인은 오늘도 끊임없이 배움의 길에 나선다. 그 때문일까? 그의 시에는 삶의 고뇌와 갈등, 그리고 자아 성찰을 통한 깨달음의 글로 가득하다.

그의 시의 핵심은 기독교 신앙이다. 혼자 걷는 고달픈 인생길에 동행하는 하나님의 도우심으로 글을 쓰고 있다고 고백한다.

앞에서 언급한 것처럼 그의 시 세계는 기독교적인 신앙이 중심을 이룬다. 그의 시 속에 기독교적 세계관과 인간관이 여실히 나타나고 있다. 기독교적 세계관은 자연과 인간에 대한 구조적인 인식과 인간 존재와 세계에 관한 관계성의 인식이라고 할 수 있다.

새초롬한 날씨지만
그네 타듯 바람결에
봄은 묻어오고

멍울진 가지의
꽃봉오리 애처롭다
따사로운 햇살 받아
봉오리 좋아

어젯밤 내린 겨울비
감기 들세라
해님이 쓰다듬고

꽃필 날 기다리는
고운 봉오리
비에 젖은 이슬방울,
은구슬 맺혔네

조롱조롱 은구슬
봉오리 목걸이
하나님이 주신 귀한 선물
- 시 「겨울비」 전문

자연의 순환은 곧 하나님의 섭리다. 멍울진 나뭇가지에 따사로운 햇살이 내리고 해님이 쓰다듬는 아름다운 풍경은 은구슬과 목걸이를 선사하니 이것이 바로 '하나님의 축복 선물'이라는 것이다.

최초 인간도
하나님이 만드실 때
아담 한 사람
만들고 보니

외로워 보여
사랑하고 살라고
하와를 만드셨지
사연이 어찌 되었든

사랑하고 사는 건
좋은데
죄의 결과로
힘든 인생길

사랑의 결정체는
눈물로 써 내려간
편지 같은 것
- 시 「사랑은 눈물의 편지」 전문

기독교적 인간관이란 신성을 타고난 개별적인 인간 존재에 대한 인식이다. 존재의 존엄성과 함께 타락한 인간의 고뇌와 갈등에 대한 근본적인 탐색을 포함한다. 따라서 하나님의 창조 세계를 인정하고 개인의 삶의 차원에서는 자신은 하나님의 피조물이라 인정하는 삶의 자세를 요구한다. 즉 시간의 주인은 하나님이다. 또한 삶의 목적은 그분의 뜻을 이룸에 있다는 확실한 인식이다.

하나님께서
왜 시인을 만드셨을까
이 부족한 것을 통해
어떤 걸 쓰게 하시려고

사람 모양도 생각도 달라
모두 맞추어 쓰기도 힘들고

대통령보다 힘든 것이 글 쓰는 것
슬픈 사람, 기쁜 사람 어디에 맞출까

무식한 베드로도
나의 수제자가 되었거늘
맞추어 쓰려고 애쓰지 마라

앞뒤가 꽉 막혀
떠오르지 않을 때
너는 내게 기도로 쓴 글이니
주님의 음성 들려온다
- 시 「달란트」 전문

기독 문학이란 하나님의 창조 세계를 미학적 언어로 표현하는 것이다. 내가 어떤 주제와 소재를 미학적으로 형상화했든 간에 그것은 결국 하나님의 창조 세계 안에 있는 소재들

이다. 시인은 작가적 경험과 상상 역시, 그분의 창조 세계의
영역을 넘어서지 못한다.

그런 면에서 이도영 시인의 시 세계는 인본주의보다는 기
독교의 신앙과 일치하는 관점에서 구체화하여 하나님을 좀
더 실증적으로 나타내 보이고자 노력한다.

어느 날 비 온 뒤에
무지개 뜬다

어지러운 세상에
색동 옷 입고
처연하게 나타나는
아롱진 무지개

무지개라도
자주 뜨면 좋으련만
어쩌다 그것도
여름철만

그래도 다행
아니면 무지개란
이름도 모르지

하나님께서
노아에게 이제는
물로 심판하지 않으시겠다는
증표이고 약속인 무지개
– 시 「무지개 뜨는 날」 전문

언어는 그 언어를 쓰는 사람이 실제 몸으로 그렇게 실천하며 살아야만 한다. 종교는 절대적으로 관념이 아닌, 상징 언어를 현실에서 실제로 드러나도록 살아야 한다. 사실 이것은 어려운 문제다. 언행일치는 그리 쉽지 않기 때문이다. 그렇기에, 상징 언어를 현실 언어로 바꾸어 가는 과정에서 인간은 한계가 많다. 그래서 늘 기도가 필요한 게 아닐까 싶다.

사람을 인생길에서
잘 만나길
기도할 일이다
어떤 인연은
악연이 될 수도

자기의 유익에만
눈이 어두워
다른 사람은
안중에도 없는 사람

자기보다
남을 더 존중히
여기는 사람
배우자도 친구도
내 주변

모든 사람들을
잘 만날 수 있도록
기도의 무릎을 꿇자
- 시 「사람을 잘 만나도록」 전문

사람의 눈은 크게 둘이 있다. 하나는 지성(知性)의 눈이고, 또 하나는 마음의 눈이다. 지성의 눈과 마음의 눈은 물론 둘이 아니다. 한데 어우러져야만 제대로 세상을 볼 수 있다.

어떻게 하면 우리는 이 두 가지 시선, 지성의 눈과 마음의 눈을 하나로 모을 수 있을까.

솜씨 좋으신 창조주
질서의 하나님

당신의 오묘한
진리와 능력은
감히 헤아릴 수 없나이다

어디서 오는 바람인지
북풍도 남풍도

대형 선풍기로 날려
꽃들도 그림처럼
피어나게 하시고

단풍도 물들게 하시는
그 능력 그 은혜
측량 못할 은혜로

오늘도 알파와 오메가로
지구는 돌고 돈다
— 시 「능력의 주님」 전문

우리는 다급한 일을 당할 때, 저도 모르게 내뱉는 말이 "하나님 맙소사!"다. 번역 성경으로 풀어쓰면 "하나님 그리 마옵소서."라는 기도가 된다. 교회 다니지 않는 사람도 저절로 "하나님 맙소사!" 탄식할 때가 있다.

「창세기」 48:18에선 요셉이 야곱에게 "아버지여! 그리 마옵소서"라고 외친다. 「마태복음」 16:22에선 베드로가 예수에게 "주여! 그리 마옵소서."라고 간청한다. 둘 다 상황이 자신에게 불리하게 돌아가자 '나에게 그런 일이 생기지 않게 해주십시오'라고 간구한 것이다.

성경 「누가복음」 22:42에 보이는 예수님의 기도는 이와 다르다. "만일 아버지의 뜻이거든 이 잔을 내게서 옮기시옵소서. 그러나 내 원대로 마시옵고 아버지의 원대로 되기를 원하나이다." 여기서는 '그리 마옵소서'가 아니라 '아버지의 원대로 되기를 원한' 것이다.

기독문학은 신앙문학, 또는 믿음문학이다. 이도영 시인에게 솟아나는 신앙은 무엇보다 강하다. 뜨겁다. 용기백배하여 나타나곤 한다.

삼라만상이
잠들어 고요한 밤에
누가 이렇게
내 마음을 설레게 할까

무수한 별친구들이
노닐다 간다

외로움도 슬픔도

가져가는 별친구들
반짝이는 소망과
기쁨을 날마다
내 가슴에 부어주고

기뻐하라고
감사하라고
별같이 빛나는
희망을 가지라 하네
- 시 「고요한 밤에」전문

이런 정신적 여건에 기독 문학은 감사, 겸손, 기쁨, 나눔, 믿음, 사랑, 소망, 은혜, 인내, 자유, 절제, 지혜, 진리, 창조, 친교, 평안, 평화, 화목, 회개 등, 기독정신으로 일어나는 모든 사물을 정서적으로 독자를 감동시키는 문학이어야 한다.

사실 자연이나 인생에서 일어나는 사물에서 자연스럽게 정서를 구해내는 문학이야말로 좋은 문학이다. 문학이 일정한 목적의식을 띠면 순수문학은 아니다. 기독문학이라 해서 지나치게 치우친 목적의식을 가지는 것은 아니다. 그 자연스러움은 별반 다르지 않다. 물고기는 물속에서 살고 새는 하늘을 날며 사는 것처럼 기독문학과 일반문학도 물고기와 새를 구분하듯 부자연스러운 요소를 발견할 수 없다. 그대로의 자연스러운 아름다움과 경건함으로 충만하기 때문이다.

이도영 시인은 의식적이든 무의식적이든 생활환경의 현실에 직면하여 끊임없이 주제를 찾는 노력을 해야 한다. 이런 과정으로 익혀진 시들은 거의가 서정시(抒情詩, Lyric)에 속한다.

한해도 설 명절이 되어
맛있는 떡국에
만두 넣어 먹고
나이도 한 살

황금빛 나이가
나이테 되어 휘감고
쌓인 경험도 연륜도
고고한 꽃 되어

인생에 골목골목
향기로 핀다

나이가 때론
짐 같았는데
그 나이가 꽃길이라
여길 수 있는 행복

환희의 물결이
파도처럼 밀려오고
여기까지
인도하신 주님
감당할 수 없는 기쁨

찬송가 442장
저 장미꽃 위에 이슬
아직 맺혀있는 그때에 부르는데
들리는 주의 음성
시편 90편 4절

주의 목전에는
천년이 지나간
어제 같으며
밤의 한순간 같을 뿐

베드로 전서 3장 8절
주께는 하루가
천년 같고
천년이 하루 같다는
이 한 가지를
잊지 말라
말씀에 위로받으며
그날이 그날같이
휙휙 지나가는
이 말씀에 은혜를 받습니다

나이는 숫자에
불과하다는 것을
- 시 「나이」 전문

이는 서정적 산문시로 개념어나 추상어의 다양한 구사를 하지 않으면서도, 비유법, 인용법, 반복법, 종결어미 사용을 통하여 자신이 소망하는 자아실현을 신앙적으로 승화시키고 있다.

수만 년을 이렇게
오가는 봄은
변함없이 싹트고

수레바퀴
돌고 돌아
산 넘고 물 건너

계곡의 낭떠러지를
아스라이
네가 아니면 혼자선
건널 수 없었던

세월의 강을
오늘도 네가 있어
은혜로 간다
– 시 「네가 있음으로」 전문

　오직 주님을 은혜로 사는 인생의 모습을 간단한 시상을 바
탕으로 절절한 믿음의 읊음을 통해 신앙인의 모습을 보여준
다. 그 대표적인 요소가 '감사'라는 어휘다.

이 세상에
태어나게 하신 것에
감사
두 눈으로 보게 하셔서
감사
걷게 하셔서
감사

모든 걸 할 수 있는
두 손
무엇을 지시하면

생각하는 머리
가지고 온 것
하나도 없는데

뭘 그리
많이도 주셨는지
감사가 꼬리를 물고
감사가 넘치네
– 시 「모든 것에 감사」 전문


　이 시에서와 같이 이도영 시인은 절실한 믿음으로 주님을
사모하며 살아온 시인이다. 그의 삶은 늘 '감사'로 시작해서
'감사'로 끝남을 의미한다. 감사는 행복으로 이끄는 지름길이
자 비밀 통로다. 감사의 삶을 살 때 행복은 시인을 위로로 이
끈다. 이는 이도영 시인만의 표현이 아니겠는가.


사랑도 해봤고
원치 않는
이별도 했었네

사랑할 땐
소녀의 웃음으로
연분홍 꽃도 피었고
라일락 향기도 퍼졌지

이별은 상처로
얼룩져
가슴 시린

눈물이었고
외로움이었네

따뜻한 위로와 참되신
주님의 사랑은
이별도 없는
끝없는 사랑

포근한
주님 품에서
위로를 얻네
– 시 「사랑과 이별」 전문

이 시에서 「사랑과 이별」은 신앙적 승화로 사랑, 즉, 주님과의 주객일체를 이룬다. 이것이야말로 자아의 승리인 동시에 곧 믿음의 승리라 할 수 있다. 믿음은 너와 내가 하나가 될 때 나타나는 신앙적 축복이다. 시 「사랑과 이별」은 이런 이치로 '이별도 없는 끝없는 사랑'으로 신앙적 위로를 받는 것이다. 이에 쓰인 역설적 수법은 매우 적절한 강조법이다. 이것이 기독교가 가지고 있는 은혜요. 사랑이다. 그러므로 절대자를 만나는 인생은 행복의 승리자가 되는 것이다.

수만 년을 이렇게
오가는 봄은
변함없이 싹트고

수레바퀴
돌고 돌아

산 넘고 물 건너

계곡의 낭떠러지를
아스라이
네가 아니면 혼자선
건널 수 없었던

세월의 강을
오늘도 네가 있어
은혜로 간다
- 시 「네가 있음으로」 전문

　그런 의미에서 필자는 이도영 시인의 시 세계를 '기독교 신앙에 기초한 사랑의 시학'으로 규정하고자 한다. 그의 시에 흐르는 신앙은 그의 행복을 꽃 피울 수 있었다. 오늘도 시인은 변함없이 한 편의 시를 쓰기 위해 고뇌하면서 하나님의 은혜를 간구한다. 그리고 꽃비가 내리는 축복을 소망한다.
　시인은 오늘도 열정으로 글 나눔을 통해 배우면서 행복의 씨앗을 뿌리고 있다. 매일 매일 나누는 사랑과 감사가 바로 행복으로 이끄는 씨앗이 되는 것이다.

싹트고 움트는 봄
마음도 따라
초록 물들면
꽃피울 설렘으로
걷는 이 길에
꽃비가 내리면
너도나도

씨를 뿌리자
행복의 씨앗을

가을이면
풍성한 수확으로
모두가 기쁨을
누릴 수 있는
생명의 양식으로
- 시 「행복의 씨앗을 뿌리자」 전문

시인의 혼자만의 행복이 아닌 더불어 꿈꾸는 행복을 함께 누리길 소망한다. 그래서 함께 행복의 씨앗을 뿌리자고 권면한다. 행복의 씨앗은 오롯이 사랑이 존재할 때만 가능하다. 홀로 씨를 뿌리기엔 너무 힘들고 벅차다. 풍성한 수확을 얻기 위해서는 너와 나의 협력이 필요하다. 그것은 절대자인 하나님께서 허락한 생명이어야 가능하다. 그것은 하나님의 축복이고 곧 생명의 양식이다. 시인에게 생명의 양식은 아름다운 글말이다.

봄이 되면
들풀들이
봄을 알리고
꽃다지
작은 꽃이
피어나는
길목마다
계절의
기쁨도

피어납니다

가만히 다가와 안겨
시인의
볼펜 잡고
글을 쓰게 하는
꽃다지꽃
냉이꽃
예쁜 민들레

작은 이 꽃도
사명을 다하고
본분을 다해
아름답고
예쁘게 피어나는
봄봄
- 시 「가장 작은 이 꽃도」 전문

　시인은 자신을 '작은 꽃'이라고 겸손히 말한다. 그리고 하나
님이 허락한 세상에서 아름다운 꽃을 피우길 소망한다. 그 꽃
은 희망의 꽃이자 자신의 혼을 담은 글꽃이리라. 시인은 오늘
도 자신에게 주어진 사명을 다하고 본분을 다하고자 열정을
다하고 있다. 언젠가 피어나는 행복꽃을 꿈꾸는 것이다.
　끝으로 이도영 시인의 일곱 번째 시집 출간을 맞이하여 그
의 바람인 행복한 꽃이 활짝 피어나길 기대한다. 더불어 모든
이에게 아름다운 글말로서 행복을 넉넉하게 나눌 수 있기를
소망한다. 시인의 건승을 기원한다.

# 3. 그리움을 기다리는 행복한 시심

## — 김주화 시집 『눈물로 그리는 그림』을 읽고

영국의 윌리엄 블레이크(William Blake)는 '한 알의 모래에서 우주를 보고 한 송이 들꽃에서 세상을 본다'고 했다.

어느 순간 나의 경험이 감동되면 마침내 시의 씨앗이 되어 한 편의 시에 있어 경험은 매우 중요하다. 그 경험은 시의 내용과 형식으로 이동한다. 그러나 경험이 시를 지배할 때 시는 일상의 모습을 띤다. 하지만 일상이 시간과 공간을 거느리며 의식을 지배한다면 그것은 실재, 진실, 감동 등과 어울려 오래된 시적 미학을 구성하는 데 중요한 요소가 된다.

따라서 경험과 일상을 어떻게 극복할 것이냐가 중요한 시의 덕목이다. 그렇다면 일기를 쓰듯, 체험을 고백하듯, 기억을 복기하듯 시를 쓸 것인가? 의식은 무의식의 실재이자 경험, 일상, 실재, 진실, 감동 등에 지나치게 매이지 않는 자재 自在가 필요하다.

식어가는 찻잔을 응시하며
맹목적인 그리움의 실체를 마신다
무엇인가 까맣게 지워져 가는 기분
기억 속에 맴도는 아련한 신기루

채울 수 없는 마음의 우울함인가
쓴 커피가 목젖을 타고 내릴 때
주마등처럼 떠오르는 빛바랜 추억을 본다

넉넉할 것도 자랑할 것도 없었던
힘들고 어렵기만 했던 그 시절
그러나 나에게는 가장 소중했던
유년의 행복들이 애절하게 그리운 아침이다

소리 없이 흐르는 눈물이
아픔의 비수 되어
끝내 오늘은 앓고 말았다
- 시 「커피잔 속에 채워진 그리움」 전문

커피 한 잔을 마시는 어느 날, 찻잔을 응시하는 경험 속에서 시인은 지난날의 추억이 담긴 아련한 신기루 같은 그리움을 찾아낸다. 그 그리움은 기다림이 되고 그 기다림은 나의 아픔이 되는가 하면 행복이 되기도 한다. 어른이 된 지금 그 시절이 그리운 것이다. 소리 없이 눈물이 흐른다. 오늘을 앓고 있는 향수이다. 시인은 이를 커피잔 속에 채워진 그리움으로 표현했다.

우리는 자신의 욕망과 입장에서 무엇인가를 보고 싶어 한다. 심지어 그것을 제 맘대로 소유하려고 한다. 우리는 이를 그리움이라고 말한다. 그러나 상대는 대답이 없다. 오롯이 침묵뿐이다. 침묵은 일견 아무 힘이 없는 것 같지만 우리 마음에 파동을 일으키는 물결을 지닌다. 침묵은 아무 말도 말하지 않으면서 모든 것을 말하는 방식이다. 그러한 침묵은 우리에게 허기를 일깨운다.

초록별이 해를 물었다
뱉을 수도 삼킬 수도 없다
십 년 동안 기다린 배고픔이다
한입 물어 꿀꺽 삼켰다
별거 아니다
조금 더 깊게 한 입을 물었다.
초록별이 흐릿해져 간다
먹다 보니 달까지 먹게 되었다
달은 물처럼 시원하다
해는 빛을 잃어가고 초록별은 힘을 잃어간다
초록별은 무서워졌다
태양을 모두 삼키면 나는 어떻게 되는 걸까?
초록별은 얼굴이 달아올랐다
겨우 허기진 배를 채웠는 데 고민이 된다
이러다 깜깜한 세상은 내가 죽을 수도 있잖아
안 돼, 안되지, 그건 안 되지…
초록별은 태양을 토해내기 시작했다
결국 달마저 토해냈다
태양은 빨간 노을을 남기며 초록별에게 인사를 한다
달은 부끄러워 저녁 햇빛 속으로 숨어 버렸다
초록별은 짧은 시간 우주의 강자가 되어 우쭐했다
초록별,
이 시간을 기억하며 십 년을 행복으로 기다린단다
– 시 「해를 먹은 초록별」 전문

십 년을 기다리는 행복, 십 년간의 배고픔, 그리움은 그렇게 강하게 우리를 지배한다. 그 배고픔은 많은 것을 삼켰지만 다시금 그 모든 것을 세월이라는 시간으로 토해낸다.

허기(虛氣)는 '안'에서 느끼는 것이지 '밖'에서 느끼는 것은 아니다. 그런데 허기에는 얼마나 격렬한 숨죽임이 있겠는가. 허기는 또한 비움이다. 그 비움이 아름다움을 불러온다. 비워서 충만해지는 상태가 아름다움이 아닐까. 삶 혹은 시(詩)는 허기진 사람에게만 약동한다.

파란 하늘도 구름을 몰며
눈가에 핑 도는 기다림 하나 있다

양털처럼 부드러운 속살 보이며
바람의 손끝에서 여유를 부리지만
구름도 기다림의 시간을 보낸다

사는 것이 기다림이고
하루하루가 기다림이라면
기다림의 끝에서 기다려 줄 당신은
쏟아내는 빗줄기처럼
평생의 기다림 끝에 비워내는
따뜻한 손길이었으면 좋겠다

기다림
모두가 그 기다림으로 다박다박 걸어
멈춰지는 시간을 향해 가고 있음을
포말에 흔들리는 파고를 안고
말없이 숨죽인 바다는 알까?

고운 꽃에서 영그는 열매
생과 사를 거듭하는 낙엽까지도
기다림의 연속인 것을
- 시 「기다림」 전문

　김주화 시인의 특징은 그리움을 담은 기다림의 시다. 그 그
리움은 기다림으로 연결된다. 그 기다림은 시인이 노래한 것
처럼, 눈가에 핑 도는 기다림이다. 시인은 이를 글로 표현한
그림을 그리는 것이다. 글로 그리는 그림, 바로 시가 탄생한
것이다.
　시인은 그 기다림이 구름처럼, 그리고 빗줄기처럼 그리고
낙엽처럼 고운 꽃에서 영그는 열매처럼 따뜻한 손길이었으면
한다. 그 손길은 고운 마음 펼치는 천사의 날갯짓 같은 눈물
로 그리는 그림이 되었다.

눈물로 그리는 그림은 아름답다
고운 마음 펼치는 천사의 날갯짓처럼
들꽃의 순수함이 바람에 흔들리듯
그대의 눈물에 사랑이 녹아있기 때문이다

눈물로 그리는 그림은 투명하다
여름밤 반짝이는 맑은 눈의 별처럼
또르르 흐르는 수정체의 이슬인 양
손조차 댈 수 없는 영혼이 녹아 있다

눈물로 그리는 그림은 부드럽다
살며시 왔다 스치듯 가버리는 소슬바람처럼
붓끝에 솜틸구름 달아놓은 듯

그대가 펼치는 고운 마음이 화폭을 수 놓는다

눈물로 그리는 그림은 사랑이고 희생이다
인내하고 기다려준 모성처럼
고운 보자기에 포장된 선물보다
눈물 보자기에 담긴 빛나는 그대의 삶이
아름답고 소중하기 때문이다
- 시 「눈물로 그리는 그림」 전문

눈물로 그리는 그림은 투명하다. 그 시에는 시인의 영혼이
녹아있다. 붓끝에 시인의 고운 마음이 담겨있다. 그래서 눈물
로 그리는 그림은 앞에서 말한 것처럼 사랑이고 희생이다. 왜
냐하면 그때의 삶이 아름답고 소중하기 때문이다.
두 번째로 김주화의 시의 특징은 경험과 진실을 소중하게
다룬다. 경험은 내용과 형식으로 이동하여 시를 지배한다. 그
리고 일상이 시간과 공간을 거느리며 의식을 지배하면서 실
재, 진실, 감동 등과 어울려 오래된 시적 미학을 구성한다.
일기를 쓰듯, 체험을 고백하듯, 기억을 반추하듯 시를 쓴다.
경험, 일상, 실재, 진실, 감동 등에 지나치게 매이지 않는 자
유자재自由自在가 드러난다. 그 대상을 사랑하면서 그리고 전
체성의 측면에서 자신의 시와 우리의 시를 성찰하는 엄정한
시선을 지닐 때 시는 한층 시다워지는 것이다.

27년 전 나는 사랑 나무 한 그루를 심장에 심었다
정성을 다해 가꾸고 보살폈다.
봄처럼 행복했고 여름처럼 풍성했으며
가을처럼 쓸쓸했고 겨울처럼 아름답기도 했다

불혹이 가까운 나이에 얻어진 사랑은
바다를 밀고 오르는 태양보다 붉었고
하늘과 바다를 물들이는 노을보다 고왔다

그 사랑을 지키기 위해
시청으로 교육청으로 보건복지부로 국회로
거리의 전사가 되어야 했다.
위로와 격려를 받으며 힘을 얻었고
원망과 배신으로 울기도 했다.
그래도 품을 수밖에 없었던 타인의 삶,
내 심장에 심은 포기할 수 없는 나무 때문이었다

생로병사가 모든 인생이 가야 하는 길이라면
결코 그 길을 외면하고 싶지 않다.
그러나 태어나 꽃이 피기도 전 그 길 한번
옳게 걸어보지 못하는 인생은 얼마나 가슴 아픈 일인가
강보에 싸인 어린 생명들을 사람답게 살게 해주고픈
부모들의 마음을 누가 헤아릴 수 있으랴.
장애라는 이유 하나가 편견이 될 수 없고
누리며 살아야 할 권리마저 포기하진 않는다

목 디스크, 허리디스크, 어깨 인대파열…
미운 열매들이 곁가지를 치며 맺혀가지만
내 심장에서 무성하게 자라는 사랑 나무를 지키기 위해
난, 오늘도 장애를 안고 살아가는 청년들을 위해
변화된 사회를 꿈꾸며
아들을 데리고 재활치료를 간다.
- 시 「아가페(agape)의 사랑으로」 전문

시인에게는 27년 된 사랑 나무가 있다. 어머니로서 27년 동안 매일 매일 장애아의 재활치료를 돕고 있다. 그의 경험적인 사랑은 이렇게 절절하게 시로 살아서 우리의 가슴을 움직인다. 그의 시적 표현을 다시금 살려 표현한다면 그의 사랑은 아가페의 사랑이었다. 봄처럼 행복했고 여름처럼 풍성했으며 가을처럼 쓸쓸했고 겨울처럼 아름답기도 했다. 불혹이 가까운 나이에 얻어진 사랑 나무는 바다를 밀고 오르는 태양보다 붉었고 하늘과 바다를 물들이는 노을보다 고왔다.

그런 의미에서 김주화의 시는 경험에서 이루어진 눈물은 다양한 의미가 담겨있다. 첫 번째는 행복의 눈물이다. 칠흑의 밤에 자신의 말을 들어주는 별친구는 행복으로 이끄는 다정한 친구이다.

옹기종기 둘러앉은
다정한 별친구 하나
달빛 없는 칠흑의 밤
서로의 마음 도닥이며
반짝이는 눈빛으로
애틋한 말 들어주니
은하수 강물 위에
행복으로 흐른다

오손도손 모여 앉은
예쁜 별친구 하나
달빛 등불 밝혀놓고
어깨동무 가지런히
초롱초롱 눈망울로

애환의 삶 들어주니
별똥별 된 눈물 한 방울
행복으로 떨어진다
- 시 「별친구」 전문

　그리움은 기다림이다. 애환의 삶을 들어주는 친구가 있기에
눈물을 흘릴 만큼 그렇게 행복하다. 그리움에 기다리고 기다
리다 행복을 만나는 기쁨, 시인은 그 기쁨을 눈물의 언어로
그림을 그리는 것이다.


길모퉁이 홀로 서서
기약 없이
누군가를 마중 나온 여심아
떠나는 하얀 달 끌어안고
말 못 할 그리움 쏟고 있었을까

스치는 새벽바람에
사윈 얼굴 붉히며
밝아오는 여명이 쓰리게 아픈 마음
가슴에 차오르는 보고픔보다
기구한 자신의 생이
눈물겹게 서글프다

빈자리 여백조차
내어줄 자리 없는데
외롭고 쓸쓸함이
더해가는 여름날
깊이 숨긴 비밀의 마음은
칼날을 세우고

독한 마음만 아로 새겨 가는구나

담장 넘어 오가는 길
목 뺀 기다림도
일부종사 다잡은 마음
변할 수 없어
벌 나비 오는 길도
여백으로 접는다
– 시 「능소화의 비밀」 전문

그뿐인가? 그리움을 넘어선 기다림은 때론 서글픈 아픔의
눈물이다. 담장 넘어 오가는 길로 임이 오기를 기다림은 변할
수 없다. 벌 나비 오는 길은 여백으로 접어놓고 임을 기다리
는 것이다.

자박자박 발소리
누군가 올 것 같아 귀를 새워
창가를 두드리는 리듬을 듣는다

그 소리는 기다림의 소리
문을 열고 그리운 사람이
이름을 부르며 들어올 것만 같다

따뜻한 손길이
자장가를 부르는 소리
마음의 평화를 빌며
조용히 귓가에 맴도는
당신이 드리는 기도 소리다

밤비는
사랑 편지 읽어주는
다정한 친구
고운 꿈 꾸며 잘 자라고
내 창가에 눈물 글씨 남기고 간다
- 시 「밤비」 전문

　시인은 사랑 편지를 읽어주는 다정한 친구로 밤비를 노래
한다. 창가를 두드리고 자장가를 부르며 마음의 평화를 비는
기도 소리, 그리고 창가에 눈물 글씨를 남기고 가는 밤비가
진정한 친구라고 노래한다.


　볕을 안고 다정히 다가오는 손길
　토닥여 위로하며 아침 창가에 섰습니다

　지친 삶의 무게 한 해의 언덕을 넘어
　노을 진 계곡을 향하는 이 가을에
　당신이 보내는 위로의 손 잡으며
　쓸쓸함이 더해가는 하룻길을 걷습니다

　가을꽃도 그 손길 피하지 않고
　오랜 기다림의 시간에 위로받으며
　활짝 웃는 얼굴에 반추된 빛이
　이슬에 젖어 곱게 느껴집니다

　가을바람은 당신이 보낸 손길입니다
　놓을 수 없는 그 손길 가슴에 파고들고
　잔잔한 파고 위에 윤슬이 춤추게 하는
　다정한 손길 끝에 유유히 흐르는 강물은

서정의 노래를 부릅니다
기러기 제집 찾아 이별할 때도
먼 길 배웅하는 그 손길은 사랑입니다
　－ 시 「가을바람」 전문

　김주화 시인의 시의 또 다른 특징의 하나는 자연을 물심일
여(物心一如), 물아일체(物我一體)의 마음을 담아 자연을 노
래하고 있다는 점이다. 물아일체는 자연과 내가 하나가 된다
는 뜻이다. 우리 선조들도 물아일체를 자연에 빗대어 많이 표
현했다.

　십 년을 經營(경영)하야 草廬三間(초려삼간) 지어내니.
　나 한 간 달 한 간에 淸風(청풍) 한 간 맛져두고.
　江山(강산)은 드릴 듸 업스니 둘러 두고 보리라
　－ 송순의 시조 전문

　십 년을 살아가면서 초가집 세 간에 나 한 간, 달 한 간,
그리고 청풍 한 간을 내어주고 강산은 들여놓을 곳이 없으니
둘러 두고 보겠다는 안분지족의 삶을 보여주는 시조다. 다시
말해 김주화 시의 특징은 자연이 나의 친구가 되고 임이 되
는 것이다. 별, 가을꽃, 가을바람, 강물, 기러기 등이 모두 소
중한 친구요 사랑의 손길이다.

　영롱한 미리내 풀등 위에
　강물 되어 흐른다
　닿을 듯 멀어지는
　별무리 속으로

내 사랑 바람 타고 떠나는
풀등 누운 밤바다에
외로운 달빛이 섧다

밤바다에 젖은 마음
갈매기 노랫소리
가슴 태워 사위고
기다림에 지친 마음
뭍에 심어 바라보다 지친다

석양에 물든 바다
풀등을 감싸 안고
바람이 할퀸 자국
쓸어주며 덮어갈 때
임 사랑 저 멀리서
자박자박 걸어오면
때늦은 설움 안고
물속에 잠긴다
- 시 「풀등」 전문

또 다른 시 작품에도 물심일여(物心一如)의 마음이 나타난
다. 인천의 대이작도 풀등은 밀물 때 바다에 잠겼다가 썰물
때 드러나는 모래섬이다. 조류에 따라 형상이 변화하고 주변
수심도 명확하지 않다.

풀등 위에 달빛이 흐르고 별무리 속에 갈매기 노랫소리가
들리는 상황, 닿을 듯 멀어지는 별무리 속에서 내 사랑은 바
람을 타고 떠나고 있는 모습이다. 달빛은 임이 떠나는 상황이
서럽다. 역시 그리움으로 기다림으로 진친 존재다. 바람이 할

퀸 자국이 난무한다. 하지만 풀등은 다시 오실 임을 기다리고
있다.

    눈의 빛으로 받아들이고
    마음의 밭에 씨를 뿌려요

    눈이 실수하면 마음은 지혜를 내서
    잘못을 바로잡지요

    마음이 울면 눈에는 눈물이 흐르고
    마음이 행복해야 눈이 웃습니다

    마음은 미리내 강 속의 보석 같아서
    늘 보호하고 잘 지켜주어야 하죠

    다정한 마음은 이슬처럼 맑아
    머리가 생각을 보내면 슬플 때가 많아요

    사랑은 이렇게 마음이 보내는 보물이라
    눈에는 별빛이 흐른답니다

    세상사 머리보다 마음으로 살다 보면
    눈은 보는 것이 꽃처럼 곱고
    마음은 그 꽃으로 사랑밥 짓습니다
    – 시 「눈으로 보고 마음으로 읽는다」 전문

　농부는 논밭에 씨앗을 뿌리지만 시인은 사람의 가슴에 사
랑의 씨앗을 뿌리는 삶이다. 마음이 행복해야 눈이 웃는다.
마음은 사랑은 마음이 보내는 보물이다. 그러기에 시인은 마

음으로 살아가야 한다.

　결론적으로 김주화 시의 특성은 그리움을 담은 기다림의 시요, 그 기다림은 눈물이 핑 도는 그리움을 담은 글로 그리는 그림이다. 또한 삶의 경험과 진실을 소중하게 다루어 일기를 쓰듯, 체험을 고백하듯, 기억을 반추하듯 글을 쓰면서 그 대상을 사랑과 성찰이라는 엄정한 시선을 지니고 있다. 무엇보다도 자연에 빗대어 시상을 전개하는 물아일체의 시심 속에서 행복을 찾고 있다.

　다시금 김주화 시인의 시적 역량을 만날 수 있어서 행복했다. 눈으로 보고 마음으로 읽는 그의 시심을 응원한다. 맛있고 따뜻한 사랑밥을 기대한다. 그의 건강과 건승을 기원한다.

# 4. 시들지 않는 그리움의 미학

– 이명주 시집 『내 가슴에 핀 꽃』을 읽고

　시와 시조를 함께 배우고 나눈 지 두어 달 되었을 무렵이다. 사뭇 경직된 머리에 운율이 흐르기 시작했고 심드렁한 앙가슴에 물기가 촉촉이 흐르기 시작했다. 나이도 어느덧 50대 후반을 훌쩍 넘어섰지만, 학창 시절의 소녀 감성을 다시금 불러보곤 했다. 하지만 삶에 찌들고 분주한 삶에 감성은 메마른 지 이미 오래다. 거기에다 코로나19 팬데믹(Pandemic) 상황으로 각박한 마음이 아니던가.

　삶이 힘겹고 마음이 허덕이는 때에 무슨 시냐고 반문하고 흘기는 사람도 있었으리라. 분명 틀린 말은 결코 아니다. 여러 이견도 조용히 담아 듣고 꿋꿋하게 글을 적는다. 시를 열심히 썼다. 그렇게 어느덧 6개월이 흘렀다. 배울수록 시는 결코 감성이 넘치는 낭만이 아니다. 지극히 나를 담아내는 현실이고 뜨거운 성찰이었다. 그리고 치열한 삶의 제안이자 행복한 나눔이었다.

"그 나이에 뭘 한다고. 시를 쓴다고. 그래 한 번 해봐요. 아마도 2개월도 못 갈걸."

그는 이 말을 자주 듣고 살았다.

"선생님! 오늘도 시 숙제를 해야 하나요? 힘이 좀 드네요."

사실 배움이란 지식의 축적만이 아니다. 새로운 흥과의 만남이고 생각의 그림을 그리는 작업이기도 하다. 새로운 세계, 낯설지만 그 세계에 나를 밀어 넣고 그 영감을 발견하는 즐거움, 자발적인 선택이 얻은 기쁨이다.

고진감래(苦盡甘來)라고 했던가. 다른 시인들의 작품을 읽으면서 사진에 글을 넣는 감성 작업부터 시작하여 다양한 작가들의 책을 읽고 느낌을 글로 적어 내려갔다.

그렇게 6개월이 지나면서 제법 시의 햇살을 몸소 경험하면서 그 내음을 맡기 시작했다. 초록의 싱그러운 맛을 쌉싸래하게 스스로 감지하기 시작했다. 그리고 시를 쓰면서 글말을 어루만지면서 마음 깊은 곳에 작은 우물을 하나씩 팠다. 그리고 꽃과 나무를 사랑하게 되고 이웃의 삶에 관심을 갖게 되었다. 그때마다 단어 하나하나를 길어 올릴 때마다 정말 신이 나고 희열을 누렸다. 어느새 나도 모르게 일상에서 사물을 향해 휴대폰 카메라에 앵글을 열었다. 하나하나 모은 사진들이 글과 결합하여 멋진 작품을 탄생시켰다. 물론 글에 오자를 생산하든가 맞춤법이 가끔 틀려도 좋았다. 곧 깨달음과 성장을 경험할 수 있었으니 말이다.

그리고 직접 본인이 쓴 모든 시 작품을 소리 내어 읽는다. 시들은 느닷없는 부끄러운 나의 고백처럼 들렸다. 나의 심장을 활짝 열어둔 것처럼 시원했다. 물론 부끄럽지만 후련한 단어들, 쓸쓸하지만 따뜻한 이미지가 빼곡하게 그려졌다. 나는 그의 시를 이끌면서 마음의 우물을 하나씩 가만히 들여다봤다. 쓸쓸한 아픔을 어루만지기도 했고 당찬 중년의 열정과 도발을 응원했다.

　그렇게 거친 삶의 꽃밭을 맨발로 함께 걸어갔다. 여전히 그 한가운데 서 있는 삶은 참으로 아름답고 장하다. 이름 그대로 글빛으로 피어난 것이다.

　이명주 시인의 시 126편의 작품 중에 마음으로 들어 온 시들이 꽤나 많다. 시는 물론이고 시조 작품이 눈에 들어왔다. 그리고 시인은 마침내 2021년 계간 글벗 봄호에 제15회 글벗 신인문학상 수상자로 그 이름을 올리게 되었다.

　그의 사랑의 마음을 담은 시 작품을 감상해 보자.


　고요한 산기슭에
　평안을 위한 쉼터

　따뜻한 햇살마당
　꽃들도 춤을 추고

　부모님
　함께 만나니
　어이 아니 좋으랴
　– 시조 「평안의 쉼터」 전문

누군가를 사랑하면 세상이 달라 보이기 마련이다. 부모님을 잃은 슬픔은 누구나 쉽게 잊을 수가 없다. 아픔이기에 기억 속에 오래 남는다. 그런데 그 아픔은 이별에서 새로운 만남으로 금가루를 뿌린 것처럼 반짝반짝 빛이 난다. 시로 탄생한 순간 시인에게 오늘의 하늘은 이미 어제의 하늘이 아닌 것이다. 모든 게 새롭고 경이롭고 놀라운 경험일 뿐이다. 인식의 프레임이 달라진 것이다. 이것은 시인만이 가능한 상상이고 역설이다.

어둑어둑
새벽공기 마시며
찾아간 곳
힘차게 팔딱거리며
살아 있음을 말해준다

상인은
시린 손을 호호 불며
어서 오라 손짓한다

후한 인심에
따뜻한 미소가 흐르고
축 처져있던 마음에
생명의 불씨를 붙여본다
- 시 「자갈치 시장」 전문

자갈치 시장에 가는 길은 늘 마음이 무겁다. 장바구니 물가는 토끼 걸음이고, 월급은 거북이걸음이다. 항상 싸고 좋은 물건을 사기 위해서 물건 더미에 손을 넣고 어항 속을 바삐 움직인다. 그런데 어느 날 시장에서 후한 인심에 따뜻한 사람 내음을 느끼게 된다. 그러면 상황이 달라진다. 그 앞을 지날 때마다 따뜻한 미소에 발걸음을 멈추게 되는 것이다. 그것은 시인에게 생명의 불씨였다.

> 사랑은 하나밖에 없는 줄 알았다
> 자신도 모르는 사이 또 다른 사랑이
> 살며시 고개를 들고 찾아왔다
>
> 사랑인 줄 몰랐던 내 마음에
> 설렘이 찾아왔다
>
> (중략)
> 그래도 지금 이 순간
> 나는 네가 참으로 좋다
>
> 내 생각 주머니에서 어떤 사랑의
> 결실을 만들어 줄지는 몰라도
> 그 또한 내 맘에 담고 있는 사랑이리라
>
> 자유로운 사랑, 나만의 사랑,
> 쫓아가지 않아도 되는 사랑,
> 마음껏 사랑할 수 있는 사랑
>
> 그 사랑의 결말은
> 어떤 꽃으로 필지
> 나도 궁금하다
>
> 빨간색 노란색 아니 분홍색~

어떤 모양, 어떤 색깔이라도 좋다
- 시 「또 다른 사랑」 전문

이러한 모든 경험은 각기 조금씩 다르지만 한 가지 공통점
이 있다. 바로 그것은 '설렘'이다. 설렘은 굳어 버린 가슴을
콩닥콩닥 뛰게 만들다. 지친 삶을 윤기 있게 만드는 마법의
울림이다. 그래서 그 행복의 레시피는 사람마다 각각 다르다.

장미꽃 국화꽃
시집가는 날
색동옷 곱게 입고
임을 기다려요

새색시 발그레
연분홍 얼굴
수줍은 미소에
두근두근 설렘 가득

내 임이 좋아할
한 송이 꽃이 되고 싶어요
- 시 「꽃밭에서」

어떤 이는 꽃을 좋아하여 임을 기다리고, 어떤 이는 찻집에
서 아메리카노 향기를 맛보며 추억을 되새긴다, 어떤 이는 누
군가를 위한 따뜻한 봉사활동에 참여한다. 그때 누구에게나
빠지지 않고 꼭 들어가는 게 바로 '설렘'이다.

똑똑

노크 소리에 눈을 떴다
그리움과 함께
찾아온 가을비

빗줄기 사이로 보이는
그대의 미소
잊지 않고 찾아온
울긋불긋 가을 이벤트

따뜻한 향기와 함께
설렘으로 찾아온
아메리카노 같은 사랑

이 모든 행복을
그대와 함께
맘에 담았으면
– 시 「아메리카노」 전문

가슴이 설레면 살맛 나는 세상이 된다. 그리고 행복이 밀려
온다. 그러나 설렘은 반드시 대단한 걸 기다리고 가져야 하는
것은 아니다. 한 문장의 짧은 쪽지를 보냈다. 사랑하는 이의
생일날에 '미역국을 함께 먹고 싶다'고. 그리고 만날 그날을
기다리면서 가슴이 뛰는 것이다.

한마음으로
시작하는 오늘
그대의 고운 미소
나의 아침을 열어가요

햇살 좋은 아침
그대에게 편지를 써요
그대가 선물한
오늘의 행복입니다

먼 곳에 있어도
언제나 같은 곳을
바라보죠

오롯이 함께 한 사랑
우리는 행복입니다
– 시 「먼 곳에 있어도」

시인에게 삶은 무료하지 않다. 다시 낯선 번호의 버스를 타고 낯선 거리를 헤매다가 돌아오는 일, 익숙한 거리로 돌아온 것처럼 모두가 다 신기한 일이다. 익숙한 거리가 참 반갑고 설렐 때가 있다. 잠시 떨어져 있었을 뿐인데 가슴을 설레게 하는 일이 아주 많다. 그만큼 행복할 일이 있으니 산다는 것은 참으로 가슴 뛰는 설렘이고 신나는 일인 것이다.

설레는 맘으로
고운 님 기다리네
활짝 핀 미소로
임을 맞으리라

고운 님 오실 때
햇빛 가득 좋은 날씨

만남의 시간은
행복으로 가득 차리
– 시 「만남」 전문


　　우리는 비밀을 모두 말할 수 없다. 쉽게 고백할 수도 없다.
세상의 상냥한 벗일수록 돌아서는 속도는 빛과 같이 빠르다.
털어놓은 흉금은 서둘러 돌아오는 흉기가 되기 십상이다. 그
러나 눈사람 같은 우리, 그 하얀 눈 속의 눈물 같은 우리. 온
전히 존재하면서도 동시에 그것을 파괴하는 운명을 어찌할까.
말할 수 없다고 오직 침묵할 것인가. 아니면 고백할 수 없다
며 냉담해야 할까. 우리는 그냥 가만히 있을 수는 없다. 말하
고 표현해야 하리라.


감사와 고마움을
마음속 깊이 새겨

글벗과 동행하여
흐놀다 글빛 쓰다

새로운
앞날의 축복
나눔으로 배운다
– 시조 「꿈을 꾸다」 전문


　　시와 시조를 함께 배우고 있다. 함께 쓰고, 읽고 느껴본다.
다 큰 어른인 줄 알았는데 덜 여문 아이가 툭 튀어나오곤 한
다. 언 땅 틈으로 설렘이 툭 튀어나와 봄의 싹을 틔우곤 한다.

물기 없는 일상을 뚫고 흠뻑 젖은 단어를 새롭게 길어 올린다. 내일의 나는 좀 더 좋아지려니 시인은 그렇게 꿈을 꾼다.

어느 날 산책을 하다가 빌딩 사이 아슬아슬 걸린 초승달을 보면서 슬며시 웃는다. 당신과 함께 즐긴 달콤한 돌체 라떼, 영원이길 잠시라도 바란다면, 이미 그대의 삶 속엔 시가 살아 있는 것이다.

내 맘이 고스란히 다
당신께 전해지길 바라며

난 투명 인간이었으면 좋겠어
언제나 당신 옆에 있어도
될 테니까

난 바람이었으면 좋겠어
언제나 당신 곁을 지나갈 수
있을 테니까

난 햇빛이었으면 좋겠어
언제나 당신 춥지 않게
따뜻하게 감싸 안아 줄 수
있을 테니까

난 달빛이면 좋겠어
밤낮 없이 당신 만날 수도
있을 테니까

나도 모르는 내 마음이
어느 샌가부터 이렇게 당신을 향하고 있어
– 시 「내 마음 당신 곁으로」 전문

사랑을 하게 되면 모두가 시인이 된다. 투명 인간처럼, 그리고 당신 곁을 지날 수 있는 바람처럼, 그리고 따뜻하게 안아줄 수 있는 햇빛처럼 사랑을 만날 수 있는 것이다. 시인은 밤에도 달빛으로 밤낮없이 사랑하는 이를 만날 수 있는 것이다.

어느 가을날 노랑 빛깔을 띤 은행나무를 보면 마음이 차분해진다. 은행나무 아래 의자에 앉아 커피 한잔을 마시고 있노라면 옛사랑도 생각나고, 지나간 추억이 더욱더 사무쳐 온다.

샛노란 옷을 입고
한 계절을 뽐내며
웃고 있지요

어젯밤 싸늘한 바람에
우수수 털어지는 잎새에도
신이 나지요

황금빛 거리는
추억의 징검다리를  건너
또 추억을 만들지요

고운 너의 빛에
내 마음도  곱게 물들어요
– 「은행나무」 전문

사랑을 하는 사람에게 노란 은행나무는 신나는 존재다. 은행나무 길을 걷고 있노라면 어느덧 지난날의 그리움, 사랑, 그리고 추억이 떠오르기 때문이다.

1996년에 개봉한 영화 『은행나무 침대』가 생각난다. 은

행나무 침대에 담긴 천년 사랑의 비밀과 이루지 못한 사랑은 다시 돌아온다는 굳건한 믿음. 은행나무 침대는 천년의 사랑이 만나는 자리였다. 이는 천년의 세월로 이어지는 애잔한 그리움이었다. 시인은 곧 사랑과 추억, 그리고 그리움을 날마다 꿈꾸는 것이다.

  창가로 스며드는 빗물
  어느새 내 마음 적시고

  깊은 심장의 안쪽에 묻어둔
  당신의 향기 내 코끝에
  머무는데

  빗방울 방울방울
  그대 얼굴 그려질 때
  그리움의 눈가에
  이슬 되어 맺히네

  비가 그치고 구름 사이로
  작은 빛이라도 들 때면

  희망의 날개는
  작고 여린 천사의 어깨에
  미소로 조용히 내려앉는다
  - 시 「보고 싶다」 전문

인간은 자연의 변화, 나타났다 사라지는 존재적 변화를 체감하게 되면 미지의 존재에 대한 두려움과 경외심뿐만 아니라 자신이 애착했던 대상에 대한 그리움을 지니게 마련이다.

그래서 시인은 마음에 담은 그리움으로 시의 그림을 그리는 것이다. 그리움의 대상과 함께했던 상황과 사건을 떠올리면서 흥겨운 춤을 추는 것이다. 그들과 나눈 소통의 기억을 떠올리면서 일종의 편지를 남긴 것이다.

설렘으로 받아 든
엽서 한 장
그리웠던 얼굴
환한 미소로
안부를 물어오네

곱고 고운 글씨로
그리움과 보고픔이
묻어나는 편지

한 줄 한 줄 설레는
마음으로 읽어
내려갈 때면
함께했던 옛 추억
정겹게 지나가고

보고픔에
늘 애태우던 마음
두 손 포개어 달래본다
기약 없는 너와 나의 만남
그리움으로
가슴 한곳에 접어 둔다
- 시 「봄바람에 전해온 편지」 전문

이명주 시인이 첫 시집 『내 가슴에 핀 꽃』에서 가장 많이 나타난 시어는 '사랑'(68회)이다. 그 다음이 '그리움, 그리운, 그리워'(48회)의 순이다.

그리움이라고 하는 것은 내가 살아왔던 시대의 흐름 속에서 내가 겪었던 어떠한 때를 생각하는 추상적인 사고다. 그립다가 잊었다가 다시 또 생각나는 그것, 시인은 그대가 나를 잊으면 난 그대가 더 그립다고 표현한다.

잘 있지?
내 생각 잊었니
살다 보면 잊었다가
어느 날
또 문득 그립지

나는
그리워도 참았던
어제보다
오늘 그대가 더 그립네

차를 마셔도 길을 걸어도
그 무엇을 해도
그대 그리움뿐이네

이런 날은 나 어쩌지
그대도 나처럼 같은
마음이면 좋겠는데

그대는 나 잊었지
난 그대가
그래서 더 그리워
– 시 「그리움」 전문

그리움은 개인적인 추상이다. 살아온 어느 때를 추억하는 것이다. 그리움은 나뿐만이 아니라 나와 소통한 대상들과의 관계의 경험에 뿌리를 둔다. 그리고 이 그리움은 동시대 속에서 어떠한 외부적 환경의 변화, 상황의 격변의 경험이 따르게 마련이다. 그리고 그 그리움은 반드시 현재에 딛고 있는 나의 존재적 가치보다 더 나은 모습을 현재화시키려는 생각의 과정이기도 하다.

반짝이는 햇살
그리운 그대  모습 담길 때

작은 미소에도
내 마음 설레고

작은 몸짓에도
내 마음 춤추게 하네

그대여
하루빨리 오시어요

감동의 눈물이
메마르지 않을 때
사랑으로 오시어요
- 시 「살살이꽃」 전문

오늘의 내가 적어도 평탄한 삶을 살고 있다면, 그리움은 그 자체로 낭만적 그리움이요 기다림이다.

오늘날 동시대를 살고 있는 사람들이 거친 한국의 역사는

구한말에서 일제강점기부터 오늘과 같은 코로나19로 인한 팬데믹 현상이 일어나기까지 얼마나 빠르고 다양한 변화들이 있었겠는가? 그러나 그 그리움은 시들지 않는다.

이렇게 비가 오는 날이면
당신이 참 보고 싶습니다

이렇게 바람 부는 날에는
당신이 눈물 나게 그립습니다

마루에 당신의 무릎을
베고 누워 있을 때면

단발머리를 쓰다듬어
주시던 당신

오늘처럼 비 오고
바람 부는 날이면
당신의 흔적을
찾아 헤매는 것은
세월이 많이 흘러도
당신을 사무치게
잊지 못하기 때문입니다
사랑합니다
– 시 「그리운 어머니」 전문

닿을 수 없는 인연을 향한 아쉬움과 안타까움, 하늘로 떠나보낸 부모와 자식에 대한 애틋한 마음, 결코 돌아갈 수 없는 과거에 대한 향수가 그렇다. 이는 마음속에 깊이 박혀 있어서 제거할 방도가 없다.

'글'은 동사 '긁다'에서 파생했다는 견해가 있다. 글쓰기는 긁고 새기는 행위와 무관하지 않기 때문이다. 글은 여백 위에 남겨지는 게 아니다. 오히려 머리와 가슴에 새겨진다. 짧은 한 문장이 마음의 상처를 보듬고 허망한 삶을 달래기도 한다. 그래서 시 쓰기는 그림과 유사한 측면이 있다. 누군가를 그리워하는 마음을 종이에 긁어 새기면 글이 되고 마음이란 도화지에 선과 색으로 옮기면 그림이 된다.

보고 싶어도
보고 싶다
말 못 한 사랑
바라보며 그대 향한
가슴앓이

그리움
언제나 떠오르는
그대 사랑뿐
그대 마음
알 수 없으니
짝사랑 이렇게 힘든가요
그대가 사무치도록
그리울 때는
큰소리로 사랑한다고
보고 싶다고 소리쳐 볼래요
- 시 「짝사랑」 전문

글과 그림에는 공통분모가 있다. 바로 '그리움'이다. 채 아물지 않는 그리움은 가슴을 헤집고 이리저리 다닌다. 그러다 그리움의 크기가 유독 커지는 날이면 한 줌 눈물을 닦아내야 한다. 그리고 일기장 같은 은밀한 공간에 문장을 적기 시작한다. 그렇게라도 그리움을 쏟아내야 삶을 견딜 수 있는 것이다.

꽃은 시간이 흘러가면 시들기 마련이다. 그러나 그리움이 마음속에 들어오면 잊히지 않는다. 마음속에 핀 꽃들은 평생 시들지 않는 것이다. 바로 글꽃이다. 글로 살아서 움직이는 것이다. 그 그리움의 꽃이 바로 이명주 시인의 시집 『내 가슴에 핀 꽃』에 온전히 담겨있다.

이명주 시인은 시와 시조를 아우르면서 글을 쓰는 역량이 사뭇 당차다. 매일 매일 1편의 시와 시조를 쏟아내고 있다. 어느덧 300여 편의 작품을 완성했다. 오늘은 시를 쓰지만, 내일은 시조를 쓸 것이다.

앞에서 말한 것처럼 이명주 시인은 얼마 전, 계간 글벗에서 시조 시인으로 등단했다. 그의 창작역량을 확인할 수 있는 반가운 소식이다. 그의 첫걸음이 당차다. 영원히 시들지 않는 그리움으로 글꽃을 활짝 피울 수 있으리라.

다시금 시인의 가슴에 핀 아름다운 글꽃에 공감과 응원의 박수를 보낸다. 아울러 글벗에서 글빛으로 행복의 꽃을 활짝 피우길 기원한다. 그의 건필과 건승을 기원한다.

■ 글벗평론1 최봉희 첫 번째 평론집

# 그리움을 찾아서

인 쇄 일  2024년 1월 16일
발 행 일  2024년 1월 16일
지 은 이  최 봉 희
펴 낸 이  한 주 희
펴 낸 곳  도서출판 글벗
출판등록  2007. 10. 29 (제406-2007-100호)
주    소  경기도 파주시 와석순환로16, 905동 1104호
          (야당동, 롯데캐슬파크타운 한빛마을)
홈페이지  http://cafe.daum.net/geulbutsarang
e- mail  pajuhumanbook@hanmail.net
전화번호  031-957-1461
팩    스  031-957-7319
정    가  20,000원
I S B N  978-89-6533-273-2 04810